L'Inspecteur Specteur et le doigt mort

Ghislain Taschereau

L'Inspecteur Specteur
et le doigt mort

 LES INTOUCHABLES

Les Éditions des Intouchables bénéficient du soutien
financier de la SODEC, du PADIÉ
et sont inscrites au Programme de subvention globale du
Conseil des Arts du Canada.

LES ÉDITIONS DES INTOUCHABLES
4649, rue Garnier
Montréal, Québec
H2J 3S6
Téléphone : (514) 992-7533
Télécopieur : (514) 529-7780
intouchables@yahoo.com

DISTRIBUTION : DIFFUSION DIMEDIA
539, boulevard Lebeau
Ville Saint-Laurent, Québec
H4N 1S2
Téléphone : (514) 336-3941
Télécopieur : (514) 331-3916

Impression : Marc Veilleux Impression
Infographie : Hernan Viscasillas
Illustration de la couverture : Luc Savoie
Photographie : Karl-Emmanuel Hamelin
Dépôt légal : 1998
Bibliothèque nationale du Québec
Bibliothèque nationale du Canada

ISBN 2-921775-53-0

À Marie-Ève...

Hic liber tibi legendus est.
Hoc tibi feci.

ALIQUIS

*Jésus peut se compter chanceux
de ne pas être mort
du tétanos.*

LUDGER

UN

Vous rappelez-vous votre premier meurtre ? Specteur, lui, s'en souvenait comme si c'était hier. Un hier âgé de quatre ans et demi, exactement. Un jeudi, plus précisément. À 20 heures 18 minutes, pour être pointilleux. C'est l'heure à laquelle les aiguilles de sa Bluztën, montre de contre-fabrication suisse, s'étaient immobilisées à la suite de la violente secousse provoquée par son .666, revolver unique, de fabrication unique, dont nous tairons l'origine pour l'instant.

Specteur se souvenait très bien de son premier meurtre puisque ce n'en était pas un, mais *deux*. La balle avait traversé le cou de l'Étrangleur de Montarvaux, chatouillant grossièrement la jugulaire au passage, pour poursuivre gentiment sa lancée jusque dans le pubis d'un bambin qui se tenait derrière lui. Ici, certains fins finauds, experts en balistique, détectives, colonels de l'armée, ministres de la Défense et autres professionnels de la santé, tenteront d'attirer mon attention sur le fait qu'une balle qui traverse le cou d'un adulte **ne peut** se loger dans le pubis d'un gamin qui se tiendrait derrière lui, puisque le cou d'un adulte et le pubis d'un enfant **ne sont pas** à la même hauteur, relativement au sol par exemple, même si l'enfant grandit très rapidement[1]. Mais il appert que le gosse était *sur les épaules* de tonton l'Étrangleur. Gnan, gnan, gnan.

L'assassinat de cette crapule d'Étrangleur avait valu à Specteur l'estime de toute la population, mais aussi la hargne de la famille de l'enfant. Cela était tout à fait normal. Aussi Specteur leur pardonna-t-il et passa-t-il vite à autre chose. De toute façon, grâce à ce meurtre héroïque, sa carrière d'inspecteur de police était fort bien amorcée et son supérieur allait sûrement lui confier les missions les plus périlleuses. Car Specteur venait de prouver qu'il n'avait pas froid aux yeux et que, s'il le fallait, il n'hésiterait pas à mettre en péril la veuve et l'orphelin afin de débarrasser la terre de toute sa racaille.

Au fil des ans, l'inspecteur Specteur s'était monté un C.V. plutôt spectaculaire. Son tableau de chasse comprenait, outre cinquante-deux petites erreurs de parcours, quatorze tueurs en série, dix violeurs syphilitiques, sept braqueurs sanguinaires, cinq déficients libidineux, trois kidnappeurs tortionnaires, deux pyromanes héroïnomanes et un facteur retardataire. Un record que très peu de vieilles dames lui enviaient. À travers toutes ces péripéties, il avait également trouvé le moyen d'émettre pas moins de sept cent vingt-deux contraventions, dont douze, par inadvertance, sur sa propre voiture. L'inspecteur Specteur n'était rien de moins qu'un véritable héros.

---

1. Je ne dois pas oublier de raccourcir cette phrase.

DEUX

On a beau être un héros, il est quand même laborieux de formuler une phrase complète après s'être aspergé l'estomac d'une bouteille de Maiissìhkh[1]. L'inspecteur Specteur réussit toutefois à ne pas échapper sa langue par terre en interpellant les barmans[2].

— Dzi... t'porais m'plé exi, m'potss ?

Ce qui signifie, dans le dialecte des Tavernes Occultes : « Dis, tu pourrais m'appeler un taxi, mon pote ? »

— Tout de suite, chef ! répondit le barman en refermant *Le Petit Dictionnaire du Dialecte des Tavernes Occultes*. Mais si j'étais toi, j'irais l'attendre dehors, tu comprends ?

Specteur rampait doucement jusqu'à la sortie lorsqu'il se heurta à un objet dur à surface brune et

---

1. Alcool à 90° à base de maïs et de navets pourris. Succulent.
2. Il n'y a qu'un seul barman. Mais, par respect pour l'ébriété de Specteur, « barmans » est au pluriel afin d'appuyer la dualité oculovisuelle du héros à ce moment précis de l'histoire.

lustrée de laquelle émanait l'odeur d'un mélange de fiente et d'œufs pourris. Il approcha les yeux du corps étranger, le tâta, le huma et conclut qu'il serait désormais impossible de déterminer sa véritable nature puisqu'il venait de le peindre de son vomi. Ce n'est que lorsqu'il tenta d'enjamber cette bosse puante qu'il se rendit compte qu'il s'agissait du pied d'un *homo sapiens.* Malgré son état avancé, Specteur remarqua un détail saugrenu : l'autre pied dudit *homo sapiens* était nu. Il releva la tête et remonta du regard le propriétaire de la chaussure jusqu'à ce qu'il aperçoive sa tronche. L'homme avait un faciès tendu à se rompre. Trois boutons, alignés verticalement, scindaient son visage. Quand l'individu se pencha pour mieux voir celui qui décorait ses souliers, Specteur ne prit pas la peine de confesser qu'il avait confondu sa protubérance ventrale avec son visage.

Le verticalement difforme recula d'un pas et il essuya sa chaussure droite sur son pantalon, à la hauteur du mollet gauche, ce qui lui donna l'allure d'un cygne mongol. Il souleva Specteur par les aisselles et le fixa droit dans les yeux.

— PETIT ENFANT, LAISSE OUVERT TON ŒIL NOIRCI ! hurla-t-il avant de laisser choir Specteur dans son coulis de bile.

— Bwasspurk ! rota inutilement Specteur, car le gros était déjà parti.

Il fut de nouveau soulevé, cette fois par le barman, qui le traîna jusqu'à un taxi qui ronronnait devant la porte. Dehors, une douce grêle l'accueillit. Cela raviva ses sens et lui permit de monter à bord, seul comme un grand garçon. Specteur eut à peine le temps d'éructer au chauffeur sa destination qu'il s'assoupit comme un bébé repu de lait maternel, tiré à même le sein gorgé d'une mère polytoxicomane. Le chauffeur comprit vite qu'il pouvait doubler impunément le prix de la course.

Il passa le bras par-dessus le dossier de la banquette et tripota l'intérieur des poches de l'éponge policière. Son prochain voyage au soleil serait aux frais du commissariat de police de Capit[1].

À l'intersection du boulevard Laucenat et de la rue Belautaine, un clebs suicidaire tenta de mordiller le pare-chocs avant du taxi, ce qui força le chauffeur-pilleur à faire une manœuvre digne des plus grandes crises d'épilepsie de l'histoire des maladies neuro-musculaires. De midi, ses deux mains passèrent à seize heures, puis à onze heures, pour retourner à trois heures et revenir à dix-neuf heures, en passant par midi de neuf à cinq puis, après un bref arrêt à vingt et une heures, elles oscillèrent entre dix-sept et neuf heures de midi à quatorze heures pendant douze secondes. Grêle aidant, l'auto dérapa jusqu'à ce qu'elle heurte de plein fouet un monticule de terre boueuse, projetant Specteur sur la banquette avant, aux côtés d'un cadavre défiguré par une lacération pare-brisienne, le plexus solaire écrabouillé par un violent salut du volant. La tête de notre taxi-man pendouillait au-dessus de son compteur, qui indiquait le prix que le crime ne paie pas. Specteur revint à lui et grommela quelques onomatopées de surprise. Il prit sa monnaie et, d'un solide coup de pied, se fit un peu de place derrière le volant. Vitres baissées, de gré et de force d'impact, il embraya en vitesse, histoire de rentrer chez lui avant que son perroquet n'appelle les flics. Le pneu avant gauche du taxi laissa son empreinte sur l'abdomen d'un homme dont nous n'entendrons plus parler au cours de cette histoire.

Dix minutes plus tard, Specteur était presque chez lui. L'horloge du tableau de bord indiquait trois heures sept du matin. Rue De Soulantes, les maisons

---

1. Capit est la capitale de la Friande, pays d'une superficie de six cent mille kilomètres carrés, comptant soixante millions d'habitants : les Friands.

endormies ronflaient, laissant échapper de petits nuages toxiques de leurs toits brûlants peuplés de chattes.

TROIS

Specteur se tenait debout sur une estrade qui surplombait une foule de plus de mille personnes. Hommes, femmes et enfants, en haillons, fourche, pioche et sucette en main, scandaient en arythmie des phrases imperceptibles. À en juger par l'hostilité du ton, les sourcils froncés et l'écume bouillante qui giclait de leurs nez et bouche, on n'était pas en train de lui chanter *Joyeux anniversaire* et encore moins *Petit papa Noël*.

Comme toujours lorsqu'il se retrouvait dans une situation désespérée, Specteur envisagea toutes les issues possibles. À ses pieds, une étroite glissoire, dont on ne pouvait apercevoir l'aboutissement, bifurquait sur la droite et semblait se perdre loin du troupeau de gueulards. « Ce sera un excellent premier dernier recours », songea Specteur. Il tenta de lever les bras pour faire signe aux australopithèques à torchons de se calmer, mais ses poignets étaient retenus par les liens sacrés du nœud coulant.

— Qu'est-ce que vous me voulez, bande de tapis de latrines ! ! ? s'entendit-il soudain crier.

Il eut un peu honte, car ce n'était pas là sa meilleure question de la journée. Ce fut vite confirmé par un cagoulard en forme de table de billard qui lui décocha une droite si puissante que Specteur s'en mordit le nez. Après cette fâcheuse entrée en matière, il fut relativement simple pour Specteur de déduire que la hache que brandissait Machin-grosse-chouette n'allait pas servir à trancher les cordes qui lui faisaient se donner la main.

Le premier coup lui entailla la joue gauche, ce qui augmenta considérablement la quantité de décibels générés par le groupe de sanguinaires avides de AB négatif. Specteur reprit vite ses sens en vue d'un nouvel assaut. Un dixième de seconde avant une paraplégie certaine, il se pencha pour mieux éviter la hache et se releva en même temps que son pied droit, qui bouscula quelque peu les spermatozoïdes du bourreau[1]. Sans attendre les applaudissements, qui risquaient de toute façon de se faire par l'entremise de baffes sur son visage, il sauta, tel un gamin en vacances, sur la glissoire libératrice. Il dévalait doucement la pente lorsqu'il lui sembla que le corridor qui bordait son fessier rétrécissait de façon un peu trop régulière. Non pas que la friction de son pantalon sur la surface boisée annonçât une flambée imminente, mais ça sentait tout de même le roussi. Plus il descendait, et moins ses sens le trahissaient. La glissoire se transformait peu à peu en une lame qui allait bientôt le contraindre à se séparer de celui qu'il aimait le plus au monde : lui-même.

Bien sûr, comme tous vieux vicieux irresponsables, il avait déjà songé à la vasectomie, mais jamais sans anesthésie. Aussi s'insurgea-t-il devant un traitement aussi cavalier, mais en vain.

---

1. D'où le cri que vous entendez présentement.

Specteur sentit la chaleur gagner son coccyx, puis son fessier commença à se scinder en chuintant. Son sang, mêlé de tripes et de bidules ensanglantés qu'on retrouve dans tous les professeurs de biologie, coulait le long de la lame et était recueilli dans une gouttière prévue à cet effet. Ainsi se terminait la prestigieuse carrière du meilleur inspecteur de police au monde. Cette fin morbide offrait au moins une consolation : une fois la lame parvenue au niveau de sa tête, Specteur allait entendre la foule en stéréophonie...

QUATRE

— Bôôôk ! fit Fido le perroquet, en picorant la fourrure du poitrail de l'inspecteur Specteur.

— *Amicus humani generis.*

— Bôk...

— Qu'est-ce tu fous ?

— Bôôôôôk !

C'est bien ce qu'il pensait. Il avait dormi trop longtemps. Il tenta de se lever mais se ravisa. Un nuage noir traversa ses pupilles et son cœur galopa de la pompe. Les marteaux-piqueurs dans sa tête venaient de reprendre du service et ses tympans donnaient la cadence aux masseurs qui lui replaçaient l'os frontal. Le ventilateur au plafond lui dévissait les globes oculaires. Il ferma les yeux.

— Bôôôôôôôôôôôk !

Énervé par cette pollution sonore, Specteur souleva brusquement les couvertures et envoya valser Fido qui ne connaissait pourtant rien à cette danse lascive. Ne pouvant malheureusement retenir son souffle plus d'une minute, Specteur reçut, en pleine truffe, les souvenirs olfactifs d'une soirée gastro-opulente.

— Jamais plus je ne boirai, jura Specteur en constatant les dégâts poisseux que sa personne avait laissés en plein milieu du lit, à son insu.

Il aurait cent fois préféré la glissoire de son rêve à la réprimande qui l'attendait. Sa femme de ménage l'avait pourtant prévenu : un autre gâchis de la sorte et elle remettait sa démission. Chaque fois, cependant, un billet de mille friands se retrouvait par miracle dans son soutien-gorge et elle passait l'éponge malgré les mottes nauséabondes qui résistaient.

Specteur traîna ses talons jusqu'à la salle de bain. Dans le miroir, il ne put que constater une nuit de trop à ses quarante ans. Ses yeux verts étaient si cernés, si creux, qu'un enfant aurait pu y mettre le pied pour se faire la courte échelle et aller quérir un biscuit dans le haut de l'armoire. Un sec relief aux cratères pâlots donnait à ses lèvres pulpeuses une texture de pelure d'orange brûlée. Au-dessus du bulbe que formait le bout de son nez, une petite courbe jaunâtre témoignait du nombre de fois où le rebord de son verre avait atteint plus que la cible. Seule sa tignasse était restée la même : un habile mélange de pousses et repousses omnidirectionnelles semblables à celles d'un clown sur télé noir et blanc. Il tira la langue et son dégradé de blanchâtre à mat le convainquit des bienfaits de la sobriété ou, au pis, de la cécité.

Il allait sauter dans la douche et y uriner à souhait quand le téléphone drelina. Au moment où il s'apprêtait à lancer un « Allô ? » de mauvais comédien essayant de jouer la bonne humeur, un de ses orteils crut bon de s'attarder avec force sur le coin de la commode.

— Arggghhh ! gémit-il en faisant une courte gigue.

— *En voilà une façon de répondre au téléphone !* se

plaignit le commandant Mandant, qui en avait le droit puisqu'il était le patron.

— Pardon, chef, mais c'est que je viens de constater que mes sens fonctionnent toujours.

— *Eh bien, amène-toi immédiatement au bureau, y a du boulot !*

— Je m'amènerai au bureau quand je le voudrai, sale trou du cul ! Emmerdeur ! Pédéraste ! Dessert de prêtre ! Tampon de nonne ! Siège de vélo ! Sphincter de gorille ! Morve de gnou ! Pus de lépreux !

Specteur retira l'index qu'il avait posé sur le bouton interrupteur juste avant cette tirade d'épithètes élogieuses, puis raccrocha le combiné. Il sauta dans la douche, cinq aspirines en bouche, et le fruit de ses entrailles fut blanchi.

Deux trous de plus que d'habitude sur sa ceinture furent nécessaires afin de maintenir son pantalon en place. Ces beuveries laxatives lui asséchaient toujours le coffre et lui rapprochaient les flancs. Lui qui était déjà étroit comme un vélo mal nourri, il aurait intérêt à se gaver bientôt, avant que son mètre quatre-vingts ne se transforme en balai-brosse. Il pela une banane.

Son trench noir sur les épaules, l'inspecteur Specteur prit un air sérieux au hasard et ouvrit la porte de son appartement.

— Pus de lépreux ! lança son perroquet en guise d'au revoir.

Il reçut la pelure de banane en plein bec, ce qui voulait dire : « Bonne journée à toi aussi ! »

CINQ

« Il n'y a rien de plus beau qu'un doigt humain coincé dans la trappe d'une boîte aux lettres », pensait l'inspecteur Specteur. Un flash le fit sursauter. Un photographe prenait cliché après cliché pendant qu'une dizaine de policiers s'affairaient à délimiter les lieux du crime à l'aide d'une banderole jaune, tout en éloignant les curieux à coups de pied et de matraque. Ganté, brosse et poudre révélatrice en main, le releveur d'empreintes attendait le signal du commandant avant de s'exécuter. Le défunt doigt pointait le soleil, qui indiquait seize heures huit.

— Ne touchez à rien ! hurla Mandant, sans se soucier du coup de cymbale que sa voix venait de faire retentir dans le crâne de Specteur.

— Inutile de gueuler, j'ai enfilé mes tympans ce matin.

— Ce matin ! ! ? T'es arrivé à quinze heures ! Et dans quel état !

Respiration sifflante et bouche béate, Mandant attendait en espérant que Specteur rétorque. Mais l'inspecteur ne broncha pas.

— T'as beau être le meilleur de nos inspecteurs, ce n'est pas une raison pour assassiner un chauffeur de taxi, piquer sa bagnole et roupiller jusqu'à midi !

— On a eu un accid...

— Je ne veux rien entendre ! ! ! !

Mandant aurait pu décaper un immeuble avec son haleine. Specteur se contenta de sourire au paquet adipeux et fit jaillir du fond de sa gorge sa voix du dimanche.

— Alors, commandant, pourquoi est-ce qu'on peut pas dégager ce fouille-nez tout de suite et le porter au labo ?

Mandant entrouvrit le bas de sa chemise, fouilla dans son nombril et se calma.

— C'est que je tenais absolument à ce que tu lises ceci avant d'agir.

Il lui tendit un bout de papier coloré. Specteur le déplia et se mit à lire.

Bien le bonjour, inspecteur Specteur ! Oh ! mais vous n'avez pas l'air très en forme aujourd'hui... Vous devriez pourtant savoir que le Maiissìhkh est traître comme un avocat. Enfin, passons aux choses rigolotes.

J'ai laissé une surprise pour vous dans une boîte aux lettres sise devant l'entrée principale de la gare Truchenaut. Vous y trouverez un nécessaire complet afin de bien commencer votre toute nouvelle enquête.

Tout au cours de cette hilarante aventure, vous aurez droit à divers indices que vous ne découvrirez cependant qu'avec un maximum d'éveil et d'attention. Il va sans dire que vous devrez temporairement diminuer votre consommation de Maiissìhkh.

Le tout vous semblera plutôt labyrinthique, mais je n'ai aucune crainte ; je suis sûr que vous vous y retrouverez.

Voilà ! Il ne me reste plus qu'à vous souhaiter malchance et à espérer que vous vous empêtrerez suffisamment pour déclarer forfait, abandonner ce satané métier et me laisser faire souffrir ces mignonnes petites créatures qui ne demandent qu'à vivoter.

Tortionnairement vôtre.

D.L.

P.S. Le vernis à ongles est de moi.

Specteur devint songeur. Il replia la lettre et remarqua soudain qu'une réclame de chaussures avait été collée au verso. Des chaussures brunes, lustrées... Comme le vernis à ongles sur la parcelle de victime. « Finies les mauvaises odeurs grâce aux souliers Geminus autodésodorisants », titrait la pub. Il avait vu ces chaussures quelque part. Mais où ? Ses méninges bouillonnaient quand Mandant le ramena sur terre.

— Alors, qu'est-ce t'en penses ?

— J'en sais rien. Faudrait relever les empreintes au plus vite afin que je puisse examiner tout cela de plus près.

Mandant fit un signe de ses trois mentons et le releveur d'empreintes s'activa.

— Ce « D.L. » semble bien te connaître. T'as une idée de qui ça peut être ?

— Non, mais si je me donne la peine d'interroger tous les « D.L. » de Capit, je vais sûrement finir par mettre la main sur quelque chose.

— C'est pas le moment de faire de l'esprit ! grogna Mandant en remuant un bourrelet.

— Hum... Ces chaussures me travaillent, murmura Specteur pour lui-même.

— Le voilà qui reluque des godasses maintenant ! Je me demande comment tu peux réussir à boucler tes enquêtes avec de telles idées de bonne femme !

— *Stultorum infinitus est numerus…*

— Quoi ? Qu'est-ce tu dis ?

— Rien…

Un gosse de sept ou huit ans vint se planter aux côtés de Specteur. Il était coiffé d'un casque de militaire trop grand qui masquait son visage.

— D'où sort c'te môme ? hurla Mandant. Qui c'est le con qui l'a laissé passer ?

Le gamin releva la tête et sourit à Specteur. Il avait un œil au beurre noir. Specteur écarquilla les yeux à s'en recouvrir presque toute la tête. Il prit Mandant par les épaules et le secoua en le fixant dans les yeux.

— Hé ! Ho ! protesta le gros. Je suis pas un appareil de gym ! ! !

Specteur sourit et, fier de lui, s'écria :

— PETIT ENFANT, LAISSE OUVERT TON ŒIL NOIRCI !

— Ça va pas, non ! ! ! ? Tes élans poétiques, tu peux les faire devant toutes les nanas du monde et c'est moi que tu choisis, merde ! ! ?

L'inspecteur baissa la tête, mais l'enfant avait disparu.

— Où est le gosse ? Où est le gosse qui était là y a une seconde ? criait-il à qui voulait l'entendre. Où est le môme avec un casque de militaire ? Merde ! Personne n'a rien vu ?

Aucune réponse.

— Mais qu'est-ce qui te prend, Spec ? T'es devenu pédo ou quoi ?

Sa réputation étant en jeu, Specteur s'empressa de relater l'incident de la veille. À part le vomi, bien entendu. Mandant l'écouta sans trop comprendre où il voulait en venir.

— Où veux-tu en venir ? demanda-t-il justement.

— Ce môme, la phrase d'hier… Ce sont des indices.

« Mais que veulent-ils dire ? » pensa-t-il, en ressortant la lettre.

... vous aurez droit à divers indices que vous ne découvrirez cependant qu'avec un maximum d'éveil et d'attention.

Le mystérieux « D.L. » avait sans doute tenu compte de sa cuite d'hier et lui avait donné une chance de se souvenir de *la phrase bizarre* en envoyant le gosse.

— Les empreintes sont relevées, commandant, fit le ganté à balai avant de tirer sa révérence.

— Parfait ! Spec, tu peux commencer à...

Il s'interrompit quand il constata que Specteur avait déjà ouvert la trappe de la boîte aux lettres, retiré le doigt décédé et qu'il s'apprêtait à forcer le panneau arrière.

— Pas besoin de tout arracher ! Y a un type de la poste qui est en route avec les clés !

Specteur laissa tomber et retrouva Mandant. Le gros examinait le doigt qui reposait dans un mouchoir sur la boîte aux lettres.

— Doigt de femme...

— Trentaine, fumeuse, maigre, nerveuse et diabétique, précisa Specteur.

— Bandant, dit Mandant.

— Chacun ses fantasmes, commandant...

Mandant se racla la gorge.

— Trentaine, je veux bien. Fumeuse, passe encore. Maigre, d'accord. Mais comment sais-tu qu'elle est nerveuse et diabétique ?

— Ongle et peau rongés exagérément : grande nervosité.

Il sortit un stylo et pointa.

— Et vous voyez cette rougeur en plein milieu du bout du doigt, ici ?

Mandant appuya son ventre sur la boîte aux lettres.

— Ouais, réussit-il à dire dans un demi-souffle.

— Eh bien, c'est là qu'elle prélève un échantillon de sang pour vérifier son taux de sucre.

Le commandant grasseya un rire épais.

— Elle n'aura plus à s'en soucier ! lança-t-il.

— Pourquoi ?

— Les cadavres vérifient rarement leur taux de sucre.

— Qui vous dit qu'elle est morte ?

Mandant resta baba. Il était vrai que le fait de retrouver un doigt humain sectionné ne signifiait pas que tout ce qui s'y rattachait naguère ne bougeait plus. Il s'en voulait d'avoir sauté si vite aux conclusions.

— Mais alors, ça rime à quoi cette mise en scène ? demanda-t-il en tentant de faire tourner son lourd cerveau.

— Je l'ignore. Mais à en juger par sa couleur, il est trop tard pour remettre ce doigt à qui de droit.

Un trousseau de clés tintinnabula derrière les deux hommes. Ils se retournèrent et virent s'approcher un drôle de quelqu'un. N'eût été de son manteau qui portait le logo de la poste, ils eussent cru avoir affaire au cadavre d'une personne du huitième âge. Mandant et Specteur n'osaient émettre un son de peur que le vieillard ne se brise en morceaux. La vieille branche sapa cinq fois avant de parler.

— C'est c'te boîte-là qu'vous voulez qu'j'ouvre ? haleta-t-il à la vitesse d'un escargot handicapé.

— C'est bien celle-là, répondit Specteur.

La main tremblotante et la tête vacillante, le vieux fit quelques pas de souris dans la direction de la boîte aux lettres.

— À la vitesse où il va, il est sûrement parti avant qu'on l'ait appelé, commenta l'inspecteur.

Le vieux approcha son visage à un millimètre de la paroi latérale de la boîte aux lettres et demeura immobile. Au bout d'une interminable minute, Specteur accéléra les choses.

— On peut vous aider, grand-père ? demanda-t-il.

Quinze secondes plus tard, le vieux se redressa, sapa et resapa, puis finit par dire :

— Pourriez me dire le numéro qu'est inscrit là ?

— Bien sûr ! hurla Specteur, comme nous le faisons tous en présence d'un homme des cavernes.

Il s'avança vers la boîte et lut le numéro à voix haute pendant que le vieux postier fixait Mandant, économisant ainsi l'énergie qu'il aurait dépensé à se retourner.

— Vous avez bien compris ? 2X20-15-9.

Le vieillard toussa, cracha, morva, sapa et leva une main veinée qu'il posa sur sa tête. Il renifla et formula une phrase mono interjective :

— Zut...

— Qu'y a-t-il ? s'inquiéta Mandant.

La main du pépé reprit sa position initiale et une mince ligne de bave coula de sa lèvre inférieure.

— Z'avez dit 2,X...

— Oui, 2X20-15-9, confirma Specteur.

Le vieux hocha la tête de dépit.

— C'pas... les... bonnes clés... Vais devoir... re-ve-nir.

Une déflagration se fit entendre. Mandant sursauta et ses nombreux monticules de graisse ballottèrent pendant quelques minutes. L'inspecteur Specteur avait fait sauter le verrou d'un coup de .666. Le vieil athlète, qui n'avait rien entendu, était déjà parti à pas de lombric. Il aurait la surprise de sa vie lorsqu'il reviendrait avec les bonnes clés l'an prochain.

Specteur avait pris la lampe de poche d'un flic qui traînait[1] à ses côtés et fouillait méticuleusement le fond de la boîte aux lettres. Il en sortit, un à un, enveloppes, paquets et colis.

— Alors ? s'enquit Mandant.

— Rien. Pas une lettre pour vous ni pour moi.

---

1. C'est le flic qui traînait, pas la lampe de poche.

Spec jeta un dernier coup de torche et vit scintiller quelque chose. Il ramena le faisceau dans la direction où il avait discerné un reflet. C'était une bague. Il la prit, l'essuya sur son trench et l'examina à la lumière du jour.

— Qu'est-ce que c'est ? manda Mandant l'éléphant.

— Voyez vous-même...

L'anneau était orné de deux « U » en parallèle. L'un tête en haut ; l'autre, tête en bas.

— Tu crois que cette bague entourait le doigt ?

— J'en suis sûr, affirma Specteur.

Même s'il n'y paraissait pas, l'inspecteur Specteur était fortement ébranlé par ce symbole. Il avait déjà vu, et de très près, cette putain de bague.

SIX

Mademoiselle Zelle mastiquait un manche d'homme avec zèle. Elle avait l'habitude : c'était son métier et son trois mille sept cent quatre-vingt-troisième. Chaque soir, devant la Taverne Occulte, elle se tapait au moins une quinzaine de clients. Plus souvent qu'autrement, ça se passait dans la bagnole du mec, sous le gros chêne centenaire, à l'abri des regards indiscrets. Ça durait cinq minutes, dix, tout au plus. C'était cent friands vite faits. Un peu de rince-bouche et elle était prête à attaquer une nouvelle gaule.

Cette fois, une petite Renault 5 noire l'abritait. Le levier de vitesse la gênait un peu. D'autant plus qu'il y avait longtemps qu'elle avait dû travailler à ce point pour tirer le sirop d'un monsieur. Celui-là était loin d'être précoce et ne semblait pas du tout pressé. Elle fut donc forcée d'avoir recours à une méthode dextérico-buccale personnelle, très efficace, que je ne décrirai cependant pas ici, désireux que je suis de ne pas vous voir interrompre votre lecture et vous livrer à des gestes choquants, voire obscènes, surtout si vous êtes présentement sur un banc de gare, dans un café ou à faire la queue au confessionnal.

Au bout de quelques secondes, la marchandise était livrée. Zelle se releva, sourit du mieux qu'elle put et tendit la main en signe de réclamation pour service rendu. Le billet de banque aboutit plutôt dans son corsage et une bague glissa sur son index. Elle fit un petit signe de la tête, ouvrit la portière et s'enfuit en courant.

Mademoiselle Zelle ne disposait que de quinze minutes pour mener à bien sa mission. La bouche fermée, elle courait en prenant soin de ne rien avaler. Elle héla un taxi. Une fois à bord, elle griffonna une adresse sur un bout de papier et le tendit au chauffeur.

— Z'êtes muette, ma pôv' dame ?

— Hmmmm ! Hmmmmmmm ! grogna-t-elle en fouettant l'air de ses bras.

— Ça va, j'ai compris ! Z'êtes pressée, grommela-t-il. Déjà que plus personne ne veut faire la conversation, faut qu'je tombe sur une tombe…

À destination, Zelle ne prit même pas la peine de regarder le compteur et balança un billet de cent friands au chauffeur.

— Votre monnaie ! lui cria-t-il, tandis qu'elle s'éloignait et se fondait dans les ombres nocturnes.

Deux rangées de cèdres bordaient l'entrée pavée du lieu de son rendez-vous. Comme convenu, elle frappa trois coups rapides, quatre autres plus espacés, attendit cinq secondes et frappa une seule fois. La grande porte en bois massif s'ouvrit sur un concert de gonds non lubrifiés.

Vêtu comme un majordome, un chimpanzé se tenait dans l'entrée et, avec un immense sourire ocré, lui fit signe de pénétrer en balançant le bras droit. Zelle s'avança jusqu'au centre du vaste vestibule et entendit la porte se refermer derrière elle. Le singe se plaça devant elle, la fixa intensément, annula son sourire, puis lui fit le baisemain. Un spasme de dégoût la traversa et Zelle passa à un cheveu d'avaler son salaire. Le poilu majordome sortit une clochette de sa poche et la secoua avec l'énergie d'un batteur pendant son solo. S'écoulèrent alors des secondes de mille kilomètres de long.

Une goutte de sueur tomba du nez effilé de la prostituée et atterrit sur son pied droit. La nervosité faisait grouiller les muscles de son visage. Ses joues creuses semblaient se rejoindre. Elle passa une main rachitique dans sa longue tignasse brune puis ramena son index vers la bouche. Merde ! Elle ne pouvait même pas se ronger les doigts ! Attendre... attendre... Il fallait attendre encore un peu et elle serait récompensée. Appuyée sur une longue jambe, puis sur l'autre, elle roulait ses petits yeux noirs d'impatience. Ce charmant corps avait connu bien des hommes sans les désirer. Mais ce temps-là achevait. Attendre... attendre...

Le bruit d'un moteur électrique siffla entre deux couches de silence. Il se rapprochait rapidement. Zelle tourna la tête et un infirme fit irruption dans la pièce, écrasé dans sa chaise roulante motorisée. Il s'immobilisa devant elle, appuya sur un bouton et un ridicule klaxon de cirque résonna. « Poueeetttt ! »

— Mademoiselle Zelle, bonsoir ! lança-t-il gaiement.

Puis il éclata d'un grand rire sale et convulsif capable de faire frémir un boa constricteur.

— Je me présente, Aoumess Zirprus. Vous allez bien ?

Zelle consulta sa montre et regarda l'infirme en l'implorant des yeux. Elle ne sentait plus sa langue et commençait à avoir la nausée.

— Oh, mais où ai-je la tête ! ! ? s'exclama le handicapé en tirant une éprouvette de sa poche. Tenez, libérez le trésor !

Zelle cracha la semence et lâcha un grand soupir de soulagement.

— Il était temps ! geignit-elle.

— Hum ! Ça me semble un grand cru ! fit l'infirme en plissant les yeux comme seuls les faux sommeliers savent le faire.

Il laissa tomber une pastille dans l'éprouvette et le liquide se cristallisa instantanément.

— Au frigo, Toto ! cria-t-il en lançant l'éprouvette au chimpanzé qui disparut aussitôt.

La prostituée examina le routier à batteries. Il avait sorti un calepin et prenait des notes. Ses cheveux étaient si méticuleusement placés et si reluisants qu'on les aurait dit de plastique. Un nez minuscule, une bouche sèche et deux malins yeux gris peuplaient son visage. Son sourcil droit était entièrement blanc. Ses jambes ridiculement disproportionnées et son tronc pas plus large que le cou rappelaient à Zelle les marionnettes à bouche mobile qu'utilisent les ventriloques. Elle imagina qu'elle lui rentrait la main là où vous pensez pour le manipuler et fut prise d'un fou rire. Mal à l'aise, elle mit la main devant sa bouche, mais les « Ha ! Ha ! » se faufilaient entre ses doigts menus.

— Laissez-vous aller ! Je suis habitué, vous savez, dit le pantin qui en avait vu d'autres.

Elle se calma et alluma une cigarette.

— Vous avez bien travaillé ! Je vous dois une fière chandelle, poursuivit l'infirme.

— Merci.

— Mais n'ayez crainte, je ne vous paierai pas avec une chandelle, puisque ce n'est pas là ce que nous avions convenu, déconna-t-il en éclatant de rire, car il venait de se trouver bien marrant.

Zelle s'efforça de sourire de toutes ses dents et poussa la générosité jusqu'à laisser jaillir un « Hi ! Hi ! » (Ou était-ce un « Ho ! Ho ! » ? Peu importe.) Cela eut son effet puisque l'infirme mit la main sous sa cuisse inerte et lui tendit une enveloppe.

— Voilà le million de friands que je vous avais promis.

La main tremblante, Zelle déglutit, prit l'enveloppe et la fourra dans la poche de son pantalon.

— Merci encore, mademoiselle Zelle. Et sachez que nous allons bientôt refaire affaire avec vous.

— Quand vous voudrez ! dit-elle en pensant le contraire.

Elle n'avait qu'une envie : foutre le camp de cette piaule froide comme un museau de thanatologue.

— Vous voulez que je vous appelle un taxi ? fit Zirprus en déballant une sucette.

— Merci, je vais marcher un peu. J'ai besoin d'air.

— Comme vous voudrez.

Soulagée et riche, elle tourna les talons et se dirigea vers la sortie. Avant d'ouvrir, elle jeta un dernier coup d'œil vers la ridicule petite poupée à roulettes. Jamais elle n'oublierait une si belle gaffe de la nature.

— Au revoir !

— À bientôt, lança Zirprus en agitant le bras comme s'il était soutenu par une ficelle.

Zelle mit la main sur la poignée de la porte et sentit une légère piqûre au creux de sa paume.

— Aïe !

Rien dans la main, rien dans la paume. Du bout des doigts, elle tenta de tourner de nouveau la poignée et s'effondra, inconsciente. Elle était plus molle que le sexe d'un eunuque impuissant.

— Au frigo, Toto ! cria l'infirme en riant, sa sucette en travers de la gueule.

SEPT

Specteur retrouva sa bonne vieille Renault 5 là où il l'avait laissée : sous le vieux chêne. Il connaissait peu de chose de cette prostituée, à part les méthodes sismo-cervico-phalangiennes inusitées dont elle semblait être la seule à détenir le secret. C'est ce qui l'avait poussé à lui donner sa bague. S'il ne devait y avoir qu'une seule élue pour lui donner une impression de couple, ce ne pouvait être qu'elle. Il s'engouffra dans sa bagnole en refoulant une érection.

Alors qu'elle faisait tranquillement son cent quarante kilomètres heure habituel, la Renault 5 laissa quatre grandes traces noires derrière elle. En bordure de l'autoroute, Specteur venait d'apercevoir un panneau-réclame qui avait poussé son pied droit à écraser la pédale du frein. Il y avait reconnu le gosse à l'œil au beurre noir. Son visage occupait les trois quarts du panneau géant. Le môme portait toujours son grand casque de militaire et souriait malgré son œil coloré. « Fiston est tombé ? Mais

non ! Fiston est tombé sur le cirage Geminus ! »
disait la réclame.

« Qu'est-ce que tout cela peut bien signifier ? »
pensait Specteur. D'abord l'obèse à la chaussure puante
qui lui avait lancé cette fameuse phrase, puis le gosse,
qui n'était rien d'autre que la représentation de
l'énoncé. Et qui était ce « D.L. » qui avait signé la
lettre ? Et le casque de militaire ? Pourquoi était-il trop
grand ? Et pourquoi s'attaquait-on directement à lui ?
Cherchait-on à remuer ses émotions de façon à
l'empêcher de bien réfléchir ?

« Zliiiiiiiiiiiiiiiingfliiiiiissssshekkr ! » fit le moteur du
Polaroïd en éjectant la photo. Specteur remit l'appareil
dans le coffre à gants et repartit à toute vitesse,
direction bureau. Les analyses du labo étaient peut-être
terminées. Il scruterait la photo plus tard, à tête
reposée.

Au bout de la Corne Rimaux[1], le soleil jaillit de
derrière la montagne et se rua sur les cornées de
Specteur. Aveuglé par cet astre importun, il baissa le
pare-soleil et quelque chose tomba entre ses cuisses.
Tout en gardant les yeux sur la route, Specteur se
fouilla l'entrejambe à la recherche du bidule suspect. Il
mit la main sur un truc mollasse et froid dont une
partie lui sembla même un peu gluante. Il s'en saisit,
releva la main jusqu'à la hauteur de son visage et se
retrouva nez à nez avec un nez. Cette partie de la
victime avait déjà connu et reniflé les mêmes endroits.

---

1. Courbe célèbre qui contourne le mont Rimaux, reconnue pour les
   accidents mortels qu'elle provoque quotidiennement. J'y suis, moi-
   même, mort à trois reprises.

HUIT

Les deux « U » de la bague avaient une signification bien précise. Le premier, à l'envers, représentait l'Utopie, le monde de rêve que tous les peuples espèrent, en vain, atteindre. Sa position était strictement ironique. Quant au second, à l'endroit, il représentait l'Ubiquité des forces du mal qui menacent l'humanité depuis le début des temps. Specteur avait reçu cette bague, un soir de novembre, il y avait quatre ans et demi.

Il pleuvait. Il pleuvait des couteaux dans les viscères de Specteur. Son paternel, Ternel, avait été enlevé, sans raison, par les SMEC[1], une tribu de truands qui ne désiraient que le violenter pendant des heures, histoire de lui apprendre à mourir. Il avait été harponné à la sortie d'un café par cette bande de voyous que tout le monde craignait comme la gastroentérite.

---

1. Les Saints-Meurtriers En Costumes.

À cause de leurs différents costumes, les SMEC formaient une véritable microsociété. Ils n'avaient pas de refuge fixe et préféraient déambuler de quartier en quartier. Quand on les voyait s'approcher, la représentation sociale était tout à fait parfaite. C'est comme si on avait tenu une loupe au-dessus de la ville. Tout y était : le pompier, l'infirmière, le boulanger, le garagiste, le facteur, le top model, le clochard, la bonne, le policier, la secrétaire, le juge, la nonne, le curé... Autant de personnages, autant de façons de tuer. Ils frappaient au hasard de leurs déplacements et revendiquaient le droit d'être plus absurdes que la vie et le destin.

Specteur avait couru derrière les bandits pendant un laps de temps assez considérable, mais les avait tous perdus de vue, puisqu'il était à pied et, eux, en autobus. Il avait retrouvé son père trois heures plus tard, dans un parc, crucifié à un arbre et farci de tourbe. Sa tête avait fait au moins huit tours, de sorte que son cou ressemblait à un fil de téléphone à pomme d'Adam. Le ventre atrocement gonflé d'herbe, papa Ternel était devenu la botte de foin qui cache la fameuse aiguille que nous cherchons depuis si longtemps.

On lui avait broyé fémurs et tibias. Ses jambes bleuies, nouées avec l'adresse d'un matelot manchot, formaient le symbole de l'infini. Les mains de la victime étaient disposées de chaque côté de sa tête, poings fermés, majeurs vers le ciel. De sa bouche béante pendouillait une langue partiellement sectionnée.

À grands coups de soupirs lacrymaux, Specteur décrocha Ternel de son podium funèbre et l'étendit sur une table à pique-nique. Il pleurait sur le torse gonflé de son père et criait en s'arrachant les cheveux. Hystérique, il secoua ses mains au-dessus de la dépouille en sautillant sur place et courut quérir brindilles et branches sèches qui traînaient aux alentours. En l'incinérant, il arriverait peut-être mieux à oublier.

Un chat qui passait par là n'eut droit à aucune clémence. Porté par une colère et un désir de vengeance typiquement specteuriens, Specteur l'agrippa par le chignon et le déchira comme s'il s'agissait d'une contravention toute neuve. Il en éparpilla les entrailles sur la victime en poussant des hurlements bestiaux. Une bouteille qui gisait par terre attira l'attention de son désespoir. Un peu d'alcool le calmerait sûrement. Il en prit une sérieuse lampée sans savoir à quoi il avait affaire. Le jus était si corrosif qu'il s'étouffa et recracha aussitôt le liquide devant lui. Il venait d'éclabousser ce qui restait du visage de son père.

Furieux, il brisa la bouteille contre la table et sortit son briquet. Ternel était dans un tel état de décrépitude que cette vision lui était devenue insupportable. Il fallait en finir. Il approcha la flamme d'un bout de chemise. Le tissu s'enflamma et se consuma en un chaos luminaire. Une lueur jaune et orangée tricotait dans le visage de Specteur.

Au loin, derrière cette langue de feu qui léchait les étoiles, il remarqua une silhouette capée qui s'approchait à pas de bête. C'était Satan lui-même.

Sans le savoir, Specteur avait réuni tous les ingrédients nécessaires à l'invocation du démon. Maiissìhkh compris.

NEUF

— Tu m'as appelé ? fit le Roi des Ténèbres en replaçant ses cheveux d'un coup de langue.

— Qui êtes-vous ? demanda Specteur, même s'il avait remarqué les cornes qui mettaient le crâne de son interlocuteur entre gros guillemets.

— Je suis...

Satan s'interrompit, eut un solide haut-le-cœur, se racla la gorge, renifla à fond et cracha deux énormes rats aux pieds de Specteur. Les muridés le regardèrent droit dans les yeux.

— Allez ! Et ne rentrez pas trop tard ! lança le démon dans un bruit de bronches fêlées.

Les deux rongeurs fixèrent Specteur pendant quelques secondes en montrant les crocs et s'enfuirent en zigzaguant.

— Ils vont faire une petite ronde, histoire de vérifier comment se comportent mes sujets.

Specteur n'osait plus bouger. Il sentait l'urine couler le long de ses cuisses chancelantes.

— Tu désires toujours savoir qui je suis, sale petit mortel incontinent ?

— Ou... ou... ou... euh... ii... ou... ou... euh... euh... ou... iii, onomatopéisa Specteur.

— Eh bien ! si tu ne m'as pas encore compris, je vais tâcher d'être le plus clair possible.

Il fit une pause, chassa un papillon nocturne de la queue et bomba le torse.

— Je suis Satan, alias le diable, alias le démon, alias Lucifer, alias Belzébuth, alias le Malin, alias le Roi des Ténèbres, alias l'Antéchrist ! Voilà ! C'est tout ce que j'ai trouvé dans votre dictionnaire des synonymes.

Le démon crachait des mots d'ammoniaque.

— Et... qu'est-ce que vous me voulez ? demanda Specteur avec le ton d'une fillette qui demande pourquoi la lune elle est ronde et comment qu'elle fait pour tenir toute seule dans les airs.

— Qu'est-ce que je veux ! ! ! ? ? ? hurla Satan en labourant le sol de ses sabots. C'est toi qui m'as fait venir misérable morpion culotté ! ! !

Il avait l'air complètement découragé.

— Pour une fois qu'on m'invoque en messe noire avec des ingrédients d'une fraîcheur aussi exceptionnelle, il faut que je tombe sur un occulte inculte !

Une vesse tonitruante fit s'enflammer un arbuste derrière lui. Un mélange de rage et de désespoir animait le démon.

— Le chat fut magnifiquement déchiqueté ! La dose de Maiissìhkh, parfaite ! Et le cadavre ! Que dire du cadavre ! ! ! Fourré de main de maître ! Génialement tordu ! Magistralement martyrisé ! Plus difforme qu'un paralytique cérébral arthritique ! La plus belle messe noire de mon éternité, le plus bel appel que j'aie jamais reçu et tu me demandes ce que je veux ! ! ! ? ? ? ?

— C'était mon père, rétorqua timidement Specteur.

— Je m'en foooooooouuuuuuuuuuuuus ! hurla Satan.

Les yeux du démon triplèrent de volume. Il se cambra et s'arc-bouta, si bien que son corps formait un « S » cédille[1]. De sa gorge jaillit un hurlement crissant, perçant, aigu et rauque à la fois. La jambe droite de Specteur explosa.

— Arrgghhh ! Aaahhh ! Aïïïïïïe ! ! ! fut tout ce qu'il trouva à dire en guise de protestation.

Pendant qu'il continuait à brailler, le sang giclait de sa jambe comme d'un robinet spasmodique. Satan hochait la tête de dépit en se nettoyant le coin des yeux. Le nouvel unijambiste pleurnichait toujours, s'efforçant de rester immobile sur son flanc intact.

— Ah ! arrête de chialer ! cria Satan en balançant une jambe toute neuve en direction de Specteur.

Le pauvret tendit les bras pour l'attraper, mais le membre se replaça seul, comme par magie noire. Fou de joie, l'ex-amputé se releva et se mit à rire et à danser.

— Mais qu'est-ce que j'ai fait au bon Dieu pour mériter un abruti pareil ! murmura Satan. Allez ! Arrête de valser comme une tante en rut et approche un peu qu'on discute entre brutes ! !

Craignant une nouvelle attaque, Specteur interrompit sa danse du moignon reconstitué et s'approcha lentement du Malin prestidigitateur. Satan piqua sa queue dans le sol, croisa pattes et bras, et se cala comme dans un fauteuil.

— Visiblement, tu ne connais rien aux règlements du *Grand Livre des Messes Noires*, dit-il, avec quelque chose dans la voix qui se rapprochait un tout petit peu de la pitié.

— Non, avoua Specteur, docile.

— Alors, laisse-moi t'expliquer, frêle carcasse, un tout petit règlement de rien du tout, en ce qui concerne le texte mais très grand de sens.

_____

1. Sa queue faisait office de cédille.

D'une expectoration démoniaque, il fit jaillir un gros livre.

— Tel qu'il est stipulé dans les règlements du *Grand Livre des Messes Noires*, page 365, article 12.7.24 : « L'invocation de Satan par un mortel — par quelque procédé que ce soit — implique **automatiquement** la vente de l'âme dudit invocateur si ledit invoqué apparaît. »

Il plaqua le livre sous le nez de Specteur et posa un ongle noir sur l'article en question.

— C'est écrit tout petit, certes, mais c'est là.

Le diable laissa tomber le livre qui, avant de toucher le sol, se métamorphosa en corbeau et vint se poser sur son épaule. Specteur n'osait dire un mot de peur que son pancréas n'explose.

— Non, mais tu te rends compte de la chance que t'as ? fit gaiement Satan.

Les sourcils de Specteur tombaient sur ses joues.

— Hé ! Ho ! s'écria le diable. Fais pas cette tête-là ! Tu **peux** me vendre ton âme ! Tu en as le **privilège** ! Tu comprends ?

Les fonctions vitales de Specteur semblaient totalement éteintes.

— Ah guano ! s'exclama Satan. J'oubliais !

Il tourna la tête vers le corbeau.

— Coco ?

Le corbeau crailla un peu, puis lança avec la voix d'une speakerine :

— Bien entendu, en échange de votre âme, vous avez droit à un don ou un talent particulier que vous pourrez exploiter tout au long de votre misérable existence.

— Alors, ronronna Satan, je t'écoute. Qu'est-ce qui te ferait bander ? Être la plus grande rock star ? Avoir un harem de vierges constamment renouvelé ? Être le plus fort de tous les hommes ? Un champion olympique ? T'aimerais diriger un pays ?

Il s'arrêta et réfléchit un peu.

— Ah non, ça je peux pas, j'ai déjà mis quelqu'un dans chaque pays... Je sais pas, moi, bourreau ? Ça te dirait d'être un bourreau ? Eh bien ?

Specteur revenait lentement à lui. Il savait qu'il ne s'agissait pas d'une mauvaise blague ; les démonstrations sataniques avaient été on ne peut plus convaincantes. Mais il n'arrivait tout de même pas à croire qu'il pouvait choisir le don, le pouvoir, la force, la puissance de son choix. Il était plongé dans les fantasmes les plus jouissifs quand son bras droit explosa.

— Alors ! ! ! feula Satan, c'est pour aujourd'hui, guano de guano ! ! ! ? ?

— Oui, oui, oui, oui, oui, oui, oui, oui, oui, oui, répéta dix fois Specteur.

— Je t'écoute ! dit le diable en lui concoctant un nouveau bras.

L'air vicié émanant de la Bête emplit les poumons de Specteur. Il toussa et poussa quelques longs soupirs. Après avoir savouré ses dernières secondes de vie en tant que lui-même, il déclara :

— Je veux être le meilleur inspecteur de police de la Friande... ou plutôt de la planète.

Le ventre de Satan se gonfla à bloc et une centaine de veines de la grosseur d'une cigarette grouillèrent, telles des chenilles, sur sa peau duvetée. Des borborygmes dignes des plus grosses éruptions volcaniques faisaient trembler le sol. Toute cette gigue intestinale se concentra soudain en une seule boule d'énergie hyperactive, grosse comme une pomme, qui se propulsa en zigzag, du bas-ventre jusqu'à la gorge du démon.

— Ha ! Ha ! Ha ! Ha ! Ha ! Hiiiiiiiiiiiii ! hurla Satan dans un rire guttural et juteux.

Il inspira à fond et l'air, filtré par ses larges narines poilues, grinça comme des ongles sur un tableau noir.

Il fixa Specteur et sourit.

— Inspecteur de police ! Pourquoi pas humoriste ? Ou clown ? T'es déjà très doué pour la chose !

Specteur était tellement emballé par la perspective de pouvoir réaliser son rêve, qu'il répondit du tac au tac, sans craindre la colère du méchant dieu.

— Mais qu'est-ce qu'il y a de mal à vouloir devenir le meilleur inspecteur de police ?

— Rien, justement ! cracha Satan. Il n'y a aucun mal et c'est ça qui m'agace ! Si je te laisse devenir flic, tu vas faire le bien ! Tu iras donc à l'encontre de mon œuvre ! Tu comprends ça, tête de larve ?

Specteur cogita une seconde et leva le menton.

— Je ne suis pas d'accord, répliqua-t-il avec une fermeté qui l'étonna lui-même.

— Comment, t'es pas d'accord ? Si tu mets tous les voleurs, les violeurs, les tueurs et les politiciens en prison, ils ne pourront plus faire le mal et je serai bien avancé !

— Je n'ai pas l'intention de les mettre en prison, mais plutôt de les abattre.

— Mais c'est encore pire ! Morts, ils ne peuvent plus rien faire, alors qu'en prison ils peuvent au moins enculer de force les petits nouveaux ! Je sais que c'est pas grand-chose, mais au moins ça fait mal.

Specteur se devait de trouver des arguments solides s'il voulait que sa requête soit acceptée.

— Les criminels que je vais tuer, dit-il, vont forcément se rendre directement en enfer, non ?

— Mais oui, bien sûr !

— Ainsi, vous disposerez de plus de personnel à vos côtés, ce qui vous permettra de préparer des plans encore plus cruels et sordides pour corrompre l'humanité.

Specteur crut bon de ne rien ajouter pour l'instant.

— Ce n'est pas bête, fit Coco.

Satan tourna la tête en direction de l'oiseau et le happa de sa langue gluante. Tandis que Coco se débattait dans l'œsophage du démon, Specteur continua :

— Il y a combien de temps que vous n'avez pas fait un séjour dans le corps d'un homme ou d'une femme ? Assez longtemps, non ?

— À vrai dire, je ne me rappelle plus, avoua Satan, songeur. La dernière fois, je crois que c'était dans le corps de Linda Blair. Tout ça s'était terminé dans un vulgaire film. C'était un peu décevant comme performance. Mais je m'étais tout de même un peu amusé... Le lit, le crucifix, la mère, le prêtre... Que de souvenirs !

— Et vous n'avez plus envie de le faire ?

— Je n'ai plus le temps ! trancha Satan, irrité. Je dois m'occuper de tous ces abrutis qui ne savent pas faire la différence entre un baiser et une baffe !

— Vous voyez ? Vous avez sûrement besoin de sang coagulé tout neuf en enfer ! poussa Specteur, presque sûr de lui.

Le pauvre diable tripota sa barbichette.

— De plus, renchérit Specteur, un type qui va en prison a une chance sur deux d'en ressortir bon et décidé à reprendre le droit chemin...

Argument d'avocat prestigieux. Un silence de braise goba un instant.

— Bon, d'accord ! concéda Satan. Mais, puisqu'il faut bien que je pose quelques conditions, voici ce que j'exige.

— Je vous écoute.

— Comme, en quelque sorte, tu feras le bien, tu devras avoir certains travers en guise de compensation.

— Bon, puisque vous avez l'air d'y tenir... Lesquels ?

Satan se tourna la langue sept fois dans la bouche et parla :

— Tu seras alcoolo…

— Ça me va. J'ai toujours aimé picoler.

— Et t'auras aucune femme dans ta vie.

— Quoi ? protesta Specteur qui reprenait du poil de la bête, vous voulez que je me prive de sexe pour le reste de mes jours ! ! ? ? ?

— C'est pas ce que j'ai dit, limace ! J'ai dit aucune femme dans ta vie, c'est-à-dire pas d'épouse, pas de relation stable. Personne ne doit savoir que tu m'as vendu ton âme, ni à quel prix. Tu sais comme moi que les femmes peuvent nous faire cracher n'importe quoi sur l'oreiller ! Elles sont pires que moi ! Alors, pour soulager tes petites tensions de gamin, tu ne feras affaire qu'avec des putes.

Tout cela ne souriait guère à Specteur. Certes, il n'avait pas de petite amie, mais l'idée de fonder une famille avait failli lui traverser l'esprit un jour. Cela se reproduirait sûrement tôt ou tard.

— Je serai à l'abri des maladies, au moins ? demanda-t-il.

— Bien entendu… et tu ne manqueras jamais d'argent !

La tête entre les mains, Specteur ne savait plus trop que décider. Il avait beau se faire l'avocat du diable, il était persuadé que les suppôts de Satan n'étaient pas très bien vus en société. Une chose était claire cependant : il n'avait pas beaucoup de choix.

— Je te laisse cinq secondes pour y réfléchir, lança Satan, afin de lui enlever un peu de pression.

— Cinq secondes ? Mais vous êtes fou ! Cinq secondes, ce n'est pas très long, vous savez !

— Je le sais. La preuve : elles sont déjà écoulées.

— Mais… m…m…m… mais…

Satan accota la pointe de sa queue sur la gorge de Specteur et deux longues flammes jaillirent de ses narines.

— Ton âme m'appartient déjà. Alors, si tu ne veux pas que ta minable épopée terrestre se termine maintenant, je te conseille de dire « Je suis prêt à signer le contrat de la vente de mon âme » immédiatement après le point d'exclamation qui termine cette phrase !

— Je suis prêt à signer le contrat de la vente de mon âme ! s'écria Specteur.

— Parfait, murmura Satan en rabaissant la queue.

Il planta un ongle dans le cœur de Specteur et recueillit, au creux de sa main, le sang qui en giclait. Affolé, Spec recula d'un pas, baissa la tête et regarda la plaie. Elle se referma aussitôt.

En relevant les yeux vers son nouveau patron, il le vit qui tenait un parchemin dégoulinant entre ses doigts.

— Voilà ! Tout est là ! Noir sur noir ! Il te reste plus qu'à tremper le doigt dans ton sang, que je tiens ici, dans le creux de ma main, et faire un beau gros « X » là, dans le coin inférieur droit !

Specteur s'exécuta sans délai. Il n'avait surtout pas envie que Satan lui fasse guili-guili de la queue.

— Bon ! Voilà une bonne chose de faite ! conclut le diable. Maintenant, comment est-ce qu'on compte les abattre, ces vilains criminels ?

— Eh ben… heu… avec un flingue, un poignard… mes mains à la limite…

— Coquecigrues que tout ça !

Satan arqua les jambes comme le font les cowboys irrités par douze jours à dos de cheval et dégaina un énorme pistolet.

— L'un de nous deux est de trop dans cette ville ! fit le satané blagueur.

Un sourire se dessina adroitement sur les lèvres charnues de Specteur et le diable lui tendit l'arme.

— C'est un calibre .666, unique au monde et qui n'a jamais servi. Par contre, il a toujours été chargé et le sera toujours.

La main de Specteur glissa sur la crosse comme sur le galbe d'un sein ferme. Son index titilla la détente comme s'il s'agissait d'un doux clitoris[1]. Specteur fit claquer sa langue. Il la sentit sèche et pâteuse.

— J'ai soif !

— C'est normal, t'es devenu alcoolo…

Il lui lança une bouteille de Maiissìhkh dont le quart du contenu disparut aussitôt derrière la cravate de Specteur.

— Wow ! Qu'est-ce que c'est que ce nectar ?

— T'as qu'à lire le début du bouquin dans lequel nous nous trouvons. C'est écrit en note de bas de page[2].

Comme s'il était né avec lui, Specteur glissa le calibre .666 derrière sa ceinture.

— Tends-moi cette nouvelle main meurtrière ! commanda le démon.

L'auriculaire de Specteur se trouva entouré d'une bague argentée ornée de deux « U » en position 69.

— Tu sauras toujours où cette bague se trouve. Si tu devais la perdre par inadvertance, tu n'auras qu'à y penser et tu sauras précisément où elle est.

Le poing serré, Specteur examina la bague.

— Voilà ! Tout y est, tu peux maintenant aller faire bien mal.

Une toute nouvelle assurance dans le ventre, Specteur tournait le dos quand Satan l'interpella :

— Oh ! Une dernière chose, dit-il. Désormais, tu devras remplir tes devoirs d'ivrogne régulièrement.

— Je n'ai aucune peine à vous croire, j'ai encore soif.

— Tu ne pourras le faire que dans les Tavernes Occultes.

— Les quoi ?

— Les Tavernes Occultes. C'est là où tous ceux qui

---

1. Ma foi je suis en rut ! Vivement que ce chapitre s'achève !
2. Je sais, c'est con. Mais ça m'évite de me répéter.

m'ont vendu leur âme se retrouvent pour picoler. Tu t'y feras sûrement de charmants petits amis.

Leur ronde terminée, les deux rats revenaient gaiement en agitant la queue. L'un d'eux tenait la main d'un bébé entre ses mignons petits crocs. Satan ouvrit grand la gueule et les rongeurs s'y engloutirent.

Specteur allait lui demander quand il pourrait commencer à tester ses nouveaux talents, mais le diable ne lui en laissa pas le temps. Il disparut en tournoyant sur lui-même, semant, tel un épandeur à fumier, de gros caillots de gélatine verdâtres autour de lui.

La nuit craquait comme un cafard sous le pied. Il faisait soif. L'inspecteur Specteur avait des fourmis dans les jambes. Ce n'était pas aussi prestigieux que deux rats dans l'estomac, mais c'était déjà ça.

DIX

La statue d'un cerbère en furie ornait la façade de la Taverne Occulte. Au-dessus d'une immense porte en acajou, un écriteau révélait : « Devant le miroir, le pape n'y voit que du feu ».

L'inspecteur Specteur pénétra comme un seul homme en ce temple maudit. À droite, une Bible reposait sur un lutrin garni d'épines. Comme d'habitude, Specteur choisit une page au hasard et cracha dans le saint livre. Coquet rituel, me direz-vous, mais il était obligatoire. Sans ce geste gracieusement déplacé, il eût été impossible d'ouvrir la deuxième porte, celle qui menait à l'intérieur de l'invitant repaire des âmes pourries.

Une fois cette porte franchie, on faisait face à un gros hibou borgne qui trônait sur un perchoir de bronze. Le méchant portier ailé était chargé de bouffer les curieux qui, d'un postillon égaré, réussissaient à s'introduire dans la Taverne des disciples du cornu. Monsieur le Hibou veillait au grain, mais ne s'en nourrissait point.

Specteur jeta un coup d'œil autour de lui. Une seule table était libre. Celle sous le crucifix inversé, sa préférée. Elle avait l'avantage d'être à un pas et quart du juke-box. L'inspecteur s'y installa et commanda une demi-bouteille de Maiissìhkh.

À la table voisine, une Indienne lui lança un regard désintéressé. Elle sirotait une tisane. Au Maiissìhkh, il va sans dire.

Quand on vend son âme au diable, on doit forcément renoncer à sa religion. C'est pourquoi le point rouge sur son front, qui caractérise les femmes de cette race, avait été remplacé par un trou, de sorte que l'on pouvait voir au travers de sa tête. Cette perforation obligatoire ne semblait pas l'incommoder outre mesure. Pour ses sorties en public, elle s'était confectionné un petit point rouge en caoutchouc qu'elle collait sur son trou.

À l'intérieur de la Taverne Occulte, elle n'avait rien à cacher. Personne ne se formalisait de cette petite différence. Les suppôts de Satan ne sont pas racistes. Elle se permettait donc d'enfiler un grand anneau dans son orifice ; une boucle de tête. Elle se vantait d'être la seule femme à avoir connu l'encéphalo-piercing. Cela était fort distingué. Le soir où elle portait cette parure originale, tous les hommes étaient à ses pieds. Elle en profitait pour leur broyer la nuque de ses talons hauts. Tout cela était sans gravité puisque aucun suppôt ne peut mourir dans les Tavernes Occultes. Tout n'est qu'un jeu.

Au zinc, le général Néral tétait le même verre depuis plus d'une heure. C'était le plus jeune général que l'armée avait connu depuis les débuts du militarisme. Il avait vingt-deux ans.

Le massacre de milliers d'innocents au tiers-monde lui avait valu l'estime inconditionnelle de Satan. Malgré cette tuerie, ses compétences n'avaient pas été remises en question, car le président de la République était lui-même un disciple du diable. Les deux suppôts avaient réussi à se laver de tout blâme en prétextant un bris informatique. Selon le communiqué qu'ils avaient fait parvenir aux médias, l'ordinateur leur avait, par erreur, signalé qu'on s'apprêtait à les attaquer et ils s'étaient défendus, un point c'est tout. Tout le personnel de l'armée friandaise était bien attristé par ce fâcheux malentendu et offrait ses plus sincères condoléances aux familles éprouvées par le deuil — au cas où il serait resté quelqu'un pour pleurer les défunts. De toute façon, ils auraient pu écrire n'importe quoi : le peuple gobe tout.

Gérard et Roger Fatra, des siamois, étai(en)t installé(s) devant le tout nouveau jeu *Longue Vie*. Gérard administrait baffe par-dessus baffe à Roger qui lançait des « Noooooooon ! » longs comme le bras d'un gorille.

Les siamois Fatra étai(en)t relié(s) par le tronc. Roger n'avait jamais accepté que Gérard vende leur seule âme au diable et pleurnichait depuis. La recherche de silence et de quiétude chez Gérard passait donc obligatoirement par la raclée perpétuelle. Et puisqu'il(s) étai(en)t doté(s) d'un système nerveux commun, Gérard ressentait, avec la même intensité, tous les coups qu'il donnait à son frère. Mais la flamme diabolique qui l'animait transformait sa souffrance en orgasme. Il n'était pas près de s'en lasser.

Grâce à toute la tendresse que peut contenir un coup de coude fraternel, Roger fut temporairement anesthésié. Gérard pouvait maintenant jouer une partie de *Longue Vie* en paix. Specteur observait la scène de sa table. Il était intrigué par ce nouveau jeu. S'il s'avérait amusant et divertissant, il se joindrait peut-être au siamois pour une petite partie.

La machine n'était ni plus ni moins qu'une grande boîte rectangulaire. Elle mesurait deux mètres cinquante de hauteur par un mètre cinquante de largeur par deux mètres de profondeur, et elle était vide. Gérard introduisit une pièce dans la fente prévue à cet effet. Un tiroir s'ouvrit. Il y prit un fusil. Le tiroir se referma. Du bout du canon, il appuya sur un bouton rouge. Le mur au fond de la boîte pivota sur son axe central. Un homme apparut, fixé en étoile par des sangles de cuir dont une le strangulait sérieusement. Bouche bâchée, globes oculaires extraordinairement turgescents, l'homme essayait d'appeler à l'aide avec ce qu'il pouvait encore remuer, c'est-à-dire sa pensée.

Les règles du jeu étaient fort simples. Il s'agissait de faire feu autant de fois que possible sur la cible avant qu'elle ne se décide à décéder. Si l'on franchissait le cap des cinquante balles, on avait droit à une partie gratuite. Quand on avait un peu d'astuce, on ne visait pas les organes vitaux en premier. À vrai dire, la meilleure stratégie était de commencer par faire éclater doigts et orteils, ce qui amenait le joueur à vingt coups de feu sans qu'il y paraisse dans la santé générale de l'objectif. Gérard ignorait cette tactique.

Il en était à son vingt-septième projectile quand les yeux de la cible indiquèrent « Fermés pour cause de décès ».

— Coulis de merde de bordel de chiasse ! Qu'est-ce que c'est que cette femmelette ! ! ! ?

Le mur pivota de nouveau et le maintenant cadavre disparut. « Introduisez une nouvelle pièce », indiquait un message clignotant sur la machine. Gérard lança ce qui restait de son Maiissìhkh dans le visage de Roger, qui s'éveilla en pleurnichant de plus belle.

— Allez, viens ! On se casse !

Roger, qui n'avait pas le choix, le suivit comme un homme suit sa queue. En temps normal, Specteur aurait dû tirer Gérard à bout portant puisqu'il venait de commettre un meurtre. Mais dans les Tavernes

Occultes, tout était permis. De toute façon, en tuant Gérard, il aurait du même coup éliminé Roger, qui n'avait pourtant rien fait puisqu'il roupillait de force. S'il devait éventuellement surprendre Gérard en flagrant délit de meurtre à l'extérieur des murs de la Taverne, Specteur serait bien embêté.

Il était las. Toute cette histoire le rendait lourd comme un congrès d'obèses. Il plongea la main dans la poche de son trench et en sortit la photo Polaroïd. Peut-être arriverait-il à trouver des réponses à ses questions en examinant les détails du panneau-réclame, à tête reposée.

— Merde ! s'écria-t-il, contrarié. *Diem perdidi !*

Tout le paysage apparaissait clairement sur la photo, mais il n'y avait qu'un rectangle noir là où aurait dû se trouver le panneau. L'appareil n'avait pas réussi à saisir cet élément. Comme s'il n'existait pas. À croire que le meurtrier était doté de dons encore plus sataniques que les siens.

Specteur était défait. Le doigt, le nez... cette prostituée qu'il avait décidé de faire sienne... voilà qu'elle n'était plus. En tout cas, si elle était encore en vie, elle devait avoir mauvaise mine.

Il se leva et fit deux pas et quart. Le juke-box était là, devant lui. Normalement, il aurait dû pouvoir sélectionner la chanson de son choix, mais ce modèle de juke-box ne le lui permettait pas. Le clavier de sélection avait été modifié, de sorte que toutes les lettres et tous les chiffres avaient été remplacés par un 6. La sélection devant être composée de deux lettres et d'un chiffre, la seule possibilité qui s'offrait à lui était le 666. C'est donc ce que Specteur choisit avant de retourner à sa table.

Une note de basse vrombissante, entremêlée de cris lointains et tordus s'échappa des haut-parleurs. Au bout de quatre mesures, une égratignure percutante donna le rythme. On aurait dit le son, en marche arrière, d'une allumette qu'on grille. Ce qui ressemblait vaguement à une guitare qui se noyait en douce traça un début de mélodie dans la fumée en suspension. Un crooner à la voix mielleuse poussa sur son diaphragme.

Le fiel du fiel de mon fiel
S'étend sur les âmes comme du miel
Coulent et roucoulent, le bien et le mal
Ne transparaisse que ce qui est sale

Le flegme de ma flamme carbonise
Inhume et consume en terre incandescente
Les oiseaux naïfs qui hantent les églises
Leur peau crépite, les religieuses mentent

Laissez venir à moi les petits enfers
Une joue, un sexe pour mon Cerbère
Laissez venir à moi les petits enfers
Un cœur, une âme pour Lucifer

Au crucifix et ceux qui ont cru s'y fier
Dédisez-vous, ramassis d'acculés
Confessez et signez de votre sang
Goûtez aux grands pouvoirs de Satan

Laissez venir à moi les petits enfers
Une joue, un sexe pour mon Cerbère
Laissez venir à moi les petits enfers
Un cœur, une âme pour Lucifer

L'inspecteur Specteur n'en pouvait plus. Il avait fini sa demi-bouteille de Maiissìhkh et se sentait fort déprimé. Cette chanson lui tirait toujours une larme.

Elle lui rappelait son père. Les mains dans les poches, il quitta lentement la Taverne. Du bout des doigts, il tripota le nez de mademoiselle Zelle en reniflant sa tristesse.

ONZE

De retour à la Corne Rimaux, Specteur ne retrouva pas le panneau-réclame des chaussures Geminus. Tant pis ! Il allait procéder autrement. Il sortit son portable, ce qui lui donna fière allure, et composa le 4-1-1.

— J'aimerais avoir le numéro des chaussures Geminus, j'vous prie... Le siège social... Non je ne sais pas dans quelle rue... Ni l'arrondissement, non... Non... Non... Non je ne sais rien... Non... Je suis un ignare, madame... Mais puisque je vous appelle, c'est que je ne sais pas ! Oui... Bon... Moi aussi... Oui ! Moi aussi, je vous dis ! Mais je crie pas, madame, je vous dis que moi aussi ! ! ! Oui... Oui... C'est palpitant ! Et vous savez c'est quoi le mien ? Hein ? Non ? Eh ben, je suis inspecteur de police, moi, madame ! Et vous savez que j'ai un permis de port d'armes ! ! ? Vous le savez, ça ! ! ! ? Et que je peux vous retracer facilement parce que je sais à quelle heure vous travaillez maintenant et qu'une voix de pétasse comme la vôtre, ça s'oublie pas ! Vous le savez, sa[1] ! ! ! ? Hein ? Vous aimeriez peut-être le savoir de plus près ! ! ! ? Non ? Alors, vous me le refilez ce numéro ! ! ! ?

Les huit chiffres aboutirent rapidement au fond du tympan de Specteur, qui raccrocha en crachant dans le combiné. Il composa le numéro et posa l'appareil dégoulinant sur son oreille.

— Allô ! Allô ! ! ! ? Merde ! ! !

C'était un enregistrement.

— *Ceci est un message enregistré. Je répète, ceci est un message enregistré. Petit enfant, laisse ouvert ton œil noirci. Petit enfant, laisse ouvert ton œil noirci.*

Ciel ! C'était la phrase ! Mais c'était LA phrase ! Où ces salauds voulaient-ils en venir, au juste ? La voix s'était tue et Specteur entendit une musique militaire. La musique cessa et la voix autoritaire d'un lieutenant frustré déchira le silence :

— *En joue ! Feu ! ! !*

Une vingtaine de détonations suivirent. C'était un peloton d'exécution. Mais qu'est-ce qu'un peloton venait faire là-dedans ? Avec le môme ? L'œil noirci ? Qu'est-ce qu'on essayait de lui faire comprendre ? La phrase et le peloton avaient-ils quelque chose en commun ? Qu'est-ce que c'était que ce mauvais Colombo ? Après s'être posé quatre cent vingt-huit autres questions du même type, il décida d'aller porter le nez au labo.

Le commandant Mandant l'y attendait de pied flasque. Il voulait tout savoir. Où était-il ? Qu'est-ce qu'il avait fait ? Avait-il du neuf ? Le « D.L. » de la lettre s'était-il de nouveau manifesté ? Dans quelle boutique avait-il déniché cette magnifique cravate ?

Specteur relata quelques détails en prenant soin d'omettre les portions « Polaroïd » et « siamois ». Ça

---

1. On devrait lire « ça » au lieu de « sa », mais c'est que Specteur fait d'énormes fautes d'orthographe lorsqu'il est en colère.

n'en valait pas la peine. Mandant n'aurait rien compris et l'aurait embêté avec ses questions à dormir debout sur une seule jambe.

Il mit le nez au labo et demanda qu'on lui fasse savoir le plus tôt possible s'il provenait du même corps que le doigt de la boîte aux lettres. Un carambolage de questions sévissait dans sa tête. Mandant le suivait comme un gros chien bête. Sa lourdeur le faisait haleter et saliver à la façon d'une vache folle atteinte de la rage. Un bouton de sa chemise céda et fut propulsé derrière la tête de Specteur. Notre héros ne broncha pas et se dirigea vers la sortie.

— Tu viens d'arriver et tu repars déjà ? se plaignit Mandant. Où tu vas ?

— J'ai besoin de réfléchir. Pas de recevoir des projectiles derrière la tête.

— Tu sais bien que je l'ai pas fait exprès ! chigna pachy.

— Je dois quand même partir. J'ai des trucs à vérifier.

— Tu me tiens au courant de toutes tes trouvailles, hein ?

— Oui, oui.

— Ne me oui-oui pas ! Je veux tout savoir ! grogna le gros méchant fou. Et ne m'oblige pas à t'exiger un rapport sur mon bureau tous les soirs !

Specteur s'arrêta net et fit demi-tour. Il se planta droit devant Mandant.

— Chef, j'ai rien de nouveau ! Même mon slip a trois jours ! C'est déjà assez compliqué comme ça. Alors, je vous demanderais de me laisser travailler en paix pendant les deux ou trois prochains jours et je promets de revenir avec quelque chose de plus concret.

— Bon, ça va ! Te mets pas en rogne ! J'voulais juste savoir si j'pouvais t'aider.

— Pas pour l'instant, merci.

Il tourna le dos et sortit. Toutes ces énigmes étaient trop pour un seul homme. Specteur décida d'aller rendre visite à son vieux pote Ré, le curé.

DOUZE

L'accès aux églises était formellement interdit à Specteur. Heureusement, le curé vivait dans un presbytère fort dépouillé qui ne contenait que douze crucifix, tous réunis dans la chambre à coucher, lieu que le curé gardait toujours verrouillé, à l'abri des voyeurs.

Lorsque le prêtre ouvrit, une partie de la chaleur ecclésiale qui régnait à l'intérieur en profita pour mettre le nez dehors.

— Entre ! Entre vite ! lança le prêtre, énervé.

— Pouah ! fit Specteur, il fait plus chaud qu'en enfer chez toi !

Il se dirigea vers la fenêtre avec la ferme intention de l'ouvrir.

— Non, attends ! Attends ! s'écria le curé.

Il pencha la tête au-dessus d'une table puis, de sa narine droite, la débarrassa d'une grande ligne blanche et se signa. Les humains sont les seuls animaux qui éprouvent du plaisir à se bloquer les voies nasales.

— Ça va, tu peux ouvrir, poussa Ré en relevant un nez qui en avait vu d'autres.

Il replaça son col romain, s'assura que sa soutane tombait à merveille et se mit à parler avec le débit d'une mitraillette.

— Ça va ? Ça gaze, Spec ? Quel bon vent t'amène ? T'es en forme ? T'as mauvaise mine ! Tu veux une bière ? Un coca ? Un chewing-gum ? Un verre d'eau ?

— Cette poudre va finir par te tuer, mon vieux.

— T'en fais pas. Je fais à peine un gramme par jour.

Specteur, qui n'avait pas le temps pour une désintox en règle, entra dans le vif du sujet.

— J'ai besoin que tu m'aides à résoudre une énigme.

— Avec grand plaisir, Spec, avec grand plaisir !

Sans omettre le moindre détail, Specteur relata toute l'histoire depuis le début. Le prêtre l'écoutait en prenant des notes. Il cessa d'écrire et agita son stylo comme la queue d'un chien inexpérimenté.

— Ne vois pas là un simple cliché de perversion de prêtre, mais cette histoire de petit enfant me passionne.

— Et moi donc !

— Dis-moi, poursuivit la soutane, Mandant ne s'est jamais rendu compte qu'il s'agissait de ta propre bague ?

— Pas du tout ! Il est aussi observateur qu'un aveugle à qui on aurait bandé les doigts.

Tel un veau hyperactif, le curé Ré remua les mâchoires de gauche à droite une vingtaine de fois, puis lança :

—Y a trop de données dissemblables.

— Faudrait décortiquer.

— T'as une idée ?

L'inspecteur Specteur fronça les sourcils.

— Il faut distinguer les données, suggéra-t-il. Données littéraires…

— La phrase, la lettre de « D.L. »

— Données visuelles...

— Le gosse, le casque de militaire trop grand, l'œil au beurre noir, le panneau-réclame.

— Données physiques...

— Le doigt, le nez, le Polaroïd.

— Données sonores...

— Le peloton d'exécution.

Silence. La fenêtre ouverte laissa pénétrer un coup de klaxon.

— On n'est pas sortis du bois.

Le prêtre renifla à fond et le stimulus végétal récidiva.

— Procédons avec logique, dit-il. Qu'est-ce que toutes ces données ont en commun ?

C'était là une question à dix mille friands. (Imaginez un peu la valeur de la réponse.) Specteur eut un éclair d'inspecteur.

— La violence ! lança-t-il avec fermeté.

— Je veux bien, mais que fais-tu du gosse ?

— Tu oublies qu'il a un casque de militaire et un œil au beurre noir.

— T'as raison... Mais pourquoi un enfant si jeune ?

— Je l'ignore.

Les spéculations de Specteur faisaient du slalom entre les bornes de ses incertitudes[1].

— Je vais en avoir le cœur net. Je vais me rendre directement au siège social des chaussures Geminus !

— Bonne idée !

— Bon ! Allez, je m'casse ! Ciao !

La main du prêtre effleura accidentellement Specteur. « Pssshhhtshhhh ! »

Ré recula la main en vitesse.

— Merde ! Je m'suis encore brûlé !

— Fais attention ! Un jour, je vais t'enflammer pour de bon et t'auras vraiment le feu sacré, mon vieux !

---

1. Je me demande bien ce que je veux dire.

Le prêtre secouait la main et soufflait sur ses doigts. Specteur se dirigea vers la porte.

— Hé, Spec ! Tu veux bien refermer la fenêtre avant de partir ? J'ai la main en feu.

— Si ça continue, on va retrouver le curé en cure ! fit Spec en s'exécutant[1].

Soixante-deux pas plus tard, Specteur arriva à sa Renault 5. Au moment où il montait à bord, il aperçut le fameux panneau-réclame des chaussures Geminus. Avec le gosse, le casque et tout. Comment se faisait-il qu'il ne l'ait pas vu plus tôt ? Il était juste à côté de sa bagnole, presque identique à celui de la courbe Rimaux. *Presque* identique, car un détail important, bien en vue, avait été modifié : le gosse avait vieilli d'une dizaine d'années.

— Ré ! Ré !

Trente et un pas suffirent à Specteur pour revenir chercher le curé. Il courut avec le petit prêtre au nez blanc jusqu'au panneau.

— *Cave ne cadas !* lui cria-t-il.

Ils avaient fait les trois quarts du chemin quand Ré mit le pied sur sa soutane et tomba pour la première fois. Il piqua du nez — qu'il avait plein — et amortit la chute de sa main brûlée. Une grosse pierre lui amocha un membre du clergé. Le « ouille ! » qu'il lança n'était qu'à un « C » près de ce qui le faisait se cambrer.

En l'aidant à se relever, Specteur l'eût brûlé davantage. Il assista donc, impuissant, à la reverticalisation laborieuse du prêtre gémissant. Le curé renifla de toutes ses forces et un filet de sang remonta dans son nez tel un élastique de *bungee*. Les jurons s'entrechoquaient dans sa boîte chrétienne. Une fois debout, il claudiqua à côté de Specteur en direction

---

1. L'expression « en s'exécutant » ne signifie pas « en se tirant à bout portant ».

de la Renault 5. Mais, avant de se rendre à destination, ils durent se rendre à l'évidence : le panneau-réclame avait disparu.

TREIZE

Fido jappa trois fois et la bobinette chut. « C'est fou ce que les perroquets sont de bons imitateurs », pensa Specteur. Il referma la porte derrière lui et se laissa rebondir sur le lit. Il était sale et complètement lessivé. Rien n'avançait dans cette putain d'enquête. Là où il croyait pouvoir trouver un petit indice, il s'était heurté à un terrain vague. La compagnie de chaussures Geminus n'existait tout simplement pas. La téléphoniste lui avait bel et bien donné une adresse, mais elle ne correspondait à rien, sinon à l'endroit idéal pour abandonner un chien qui coule. Page après page, le dictionnaire des gros mots défilait dans sa tête. Avant d'en arriver à Z, il alluma la télé.

... et le général Néral a déclaré ne pas savoir comment on avait pu se procurer des bombes de l'armée friandaise pour faire sauter le collège de Régimbourg.

« Sacré farceur, murmura Specteur, c'est Satan qui va être content... »

On évalue à près de quatre cents le nombre de victimes et à cent vingt, celui des blessés graves. Dans un instant, on parle d'une baisse du taux de chômage au pays. Restez avec nous, nous vous revenons après cette pause publicitaire.

La speakerine sourit. Fondu au noir.

« Foutues pubs... »

Spec allait zapper lorsqu'il reconnut la chaussure qu'on montrait à l'écran. C'était la même dégueulasserie brune qu'il avait vue à la Taverne Occulte le soir de sa cuite.

Les chaussures Geminus, confortables, chaudes, souples et surtout très résistantes ! Vous en serez ravis ! Faites un cadeau à celui ou celle que vous aimez le plus au monde, offrez-VOUS les chaussures Geminus.

Un numéro de téléphone et des spécimens de cartes de crédit apparurent. Specteur se redressa aussi vite qu'un strapontin à ressorts.

Commandez vos chaussures Geminus dès maintenant en composant le numéro de téléphone qui apparaît à votre écran. Livraison dans les vingt-quatre heures ou vos chaussures Geminus sont gratuites. Appelez maintenant !

Tel un consommateur abruti et compulsif, Specteur arracha le téléphone de son reposoir douillet et composa le numéro. S'il fallait qu'il tombe encore sur le message enregistré avec la phrase bizarre et le peloton, ou sur un de ces systèmes informatiques qui vous demandent d'appuyer sur telle touche pour tel service, ou sur un système de reconnaissance de la voix, ou bien s'il fallait que le téléphone disparaisse, ce serait bien le fond du bout du tunnel de la merde !

— *Merci d'avoir appelé les chaussures Geminus. Mon nom est Matthieu, comment puis-je vous aider ?*

Bien que fort énervé de parler enfin à quelqu'un de chez Geminus, Specteur se contint et opta pour une stratégie d'ordre pécuniaire.

— Bonjour, monsieur, dit-il poliment, excusez cette question indiscrète, mais on vous paie à la commission ou à l'heure ?

— *Heu... eh bien, à la commission.*

— Donc, si vous ne me vendez rien, vous ne touchez rien, n'est-ce pas ?

— *C'est exact.*

— Très bien. Alors, je vous promets d'acheter dix paires de chaussures si vous répondez à quelques questions fort simples et nullement compromettantes.

— *Achetez d'abord, je verrai ensuite.*

Le jeune vendeur était affamé, ce qui prouvait hors de tout doute qu'il travaillait à la commission.

— D'accord.

S'ensuivirent les formalités : nom, prénom, adresse, taille des chaussures, couleur et, le plus important, numéro de carte de crédit. Specteur donna les vraies informations sauf pour l'adresse. Le tout serait livré directement au Commissariat.

— Je peux poser mes questions maintenant ?

— *Allez-y !*

— Quel est le nom de votre employeur ?

— *Les chaussures Geminus.*

— Bien, mais le patron a sûrement un nom ?

— *Probablement, mais je ne saurais vous le dire puisque je ne l'ai jamais rencontré.*

— Dans ce cas, pourriez-vous me dire le nom qui apparaît sur vos chèques de paie ?

— *On m'a payé en liquide.*

— On vous a déjà payé ?

— *Oui, le salaire de base. Pour les commissions, on a dit qu'on allait me rappeler.*

— Et sur les emballages ? Sur les boîtes de chaussures ? Sur les chaussures elles-mêmes ? Y a-t-il un nom, une adresse, un numéro de téléphone qui pourrait m'aider à retracer le patron ?

— *Écoutez, monsieur, c'est ma première journée, vous êtes mon premier client et je n'ai jamais manipulé ni ne manipulerai une seule chaussure. Je ne fais que saisir les données de mes ventes sur ordinateur et la compagnie se charge du reste.*

— Et l'ordinateur communique avec la compagnie par voie téléphonique, non ? Comme pour Internet ?

— *Non, c'est un tout nouveau système que je n'avais jamais vu avant. Les communications se font sans fil.*

— Le bureau où vous êtes présentement, c'est au centre-ville ?

— *Je travaille chez moi.*

— Mais vous avez dû rencontrer quelqu'un pour dénicher ce boulot, ou bien téléphoner quelque part ?

— *Non... ou plutôt si. On m'a proposé ce job alors que je quêtais dans la rue.*

— Qui ça ? Qui vous a proposé ce job ?

— *Je ne sais pas. Je ne connais pas son nom et je ne l'avais jamais vu auparavant. Tout ce que je me rappelle, c'est qu'il était petit, laid et en fauteuil roulant.*

— Merci.

— *Y a pas de quoi ! Merci d'avoir opté pour Geminus. Les chaussures Geminus, des chaussures conf...*

Specteur lui cloua le bec d'un grand coup de combiné-marteau. Il s'installa à un petit bureau au pied de son lit et alluma une lampe. Fido vint se poser sur son épaule et y laissa un peu de lui. Il reluqua le sac de graines qui reposait devant son maître.

— Bôôôôrk !

Le message était clair. Specteur secoua le sac au-dessus de sa tête et le volatile commença à lui picorer le cuir chevelu.

— Hé ! Ho ! Vas-y doucement, Fido ! Et m'chie pas sur l'épaule !

— Bôôôôrk ! M'chie pas ! M'chie pas !

L'inspecteur sortit un bout de papier et un crayon, puis se mit à griffonner. Il coucha l'essentiel de son tiraillement. PETIT ENFANT, LAISSE OUVERT TON ŒIL NOIRCI. La tête entre les mains, il lut, relut et rerelut la phrase. À l'endroit, à l'envers, tête en haut, tête en bas, dans un miroir. Rien. Néant. Pas la moindre étincelle. Pas le moindre « Ah ! », « Oh ! », « J'ai trouvé ! », « Oh ! putain ! Fallait y penser ! », « Comment n'y ai-je pas songé plus tôt ? » « Qu'on vienne me dire maintenant que je suis pas le meilleur inspecteur de police au monde ! » Zéro. Son cerveau était aussi vide qu'une église.

Il réécrivit chaque mot en formant une colonne, noircit les « O », engraissa les « S », biffa les « E ». Qu'il était las ! Ses cils lui semblaient peser une tonne. Il aurait pu construire un chalet suisse tellement il cognait des clous. Un « Bôôôôôrk ! » bien placé, suivi d'une dizaine de coups de bec sur le crâne, le ramena à la réalité. Il se leva brusquement et se dirigea vers le lit. Fido décolla, se posa et observa, de son perchoir, pépère choir.

Un uppercut de Morphée et Specteur s'éteignit en murmurant une série de « Z » à son oreiller. Il conserva la même position pendant une dizaine d'heures puis sa paupière droite se souleva. La chambre était claire. Fido tanguait et ronronnait. Un excitant durcissement au bas du ventre lui rappela que ses niveaux de testostérone et d'urine étaient au plus haut. Deux options s'offraient à lui : 1- se lever, marcher jusqu'aux toilettes, attendre que son centre pointe le sol et se soulager. 2- endurer sa sérieuse envie d'uriner, aller et venir entre ses mains, se soulager et, finalement, accomplir l'option 1. La deuxième option supplantait royalement la première puisqu'elle offrait deux soulagements au lieu d'un seul. Le choix fut donc facile.

Il s'activa si bien qu'il réveilla Fido.

— Bôôôôôôôrk ! ! Ah oui ! C'est bon ! Bôôôôôrk !

— Ta gueule, pédé !

Le lit grinçait de plaisir. La lave commençait à dangereusement chatouiller son écorce terrestre.

— Bôôôrk ! Oh oui ! C'est bon ! Putain, c'est bon ! Bôôôôôôôôôôôôôôôrk !

— Ta gueule, sale dinde, ou je m'épure avec ton plumage.

Le T.G.V. était presque à destination et les passagers s'apprêtaient à foncer vers la sortie. Specteur eut un spasme. Fido et lui crièrent en chœur.

— Ooooooooh ! Aaaaaaaaah ! Oooouuuuuuiiiiiiiiiii !

L'évacuation fut si puissante qu'il aurait pu atteindre Juliette à son balcon. Une nouvelle secousse lui traversa le monsieur. Il souleva les draps afin de voir jaillir le jet de génies. Ce qu'il vit le glaça et lui fit battre un record mondial de débandaison. Son cri orgasmique se changea en un cri d'horreur. Non sans raison : une jambe de femme gisait là, sous ses draps, presque collée contre la sienne. Specteur était si rachitique que maintenant, au moins, ça lui faisait une belle jambe.

Ses spermatozoïdes cherchèrent l'ovule pendant encore quelques minutes, puis abandonnèrent en raison d'un important manque de vitalité.

QUATORZE

Le rendez-vous était fixé à midi et demi. Specteur devait déjeuner avec une prostituée flambant neuve. Ils avaient choisi le Nez du Grand Nain[1] pour leur premier tête-à-tête.

— Vous avez une réservation, monsieur ? demanda le maître d'hôtel.

— Oui. Midi trente. Specteur. Inspecteur Specteur.

Le maître d'hôtel s'orna l'œil droit d'un monocle et consulta son registre.

— Très bien. Narine Est ou Narine Ouest, inspecteur ?

— Ouest.

— Très bien. Par ici, je vous prie.

---

1. Quand, en 1800, Alexandre le Petit, dit le Grand Nain, urina au visage de Maurice VI en hurlant : « Tu n'auras pas fait couler que des larmes, tyran ! », le peuple friandais devint enfin libre. Le centième anniversaire de la Libération fut commémoré par l'inauguration d'une statue géante de deux cents mètres à l'effigie du Grand Nain en plein centre de Capit. À l'intérieur, on construisit des restaurants, des théâtres, des hôtels, un hôpital, des boutiques, etc.

Le loufiat était grand, frêle et ridé aux endroits stratégiques. Quand il marchait, ses fesses étaient si serrées qu'on eût dit qu'il y retenait précieusement une pièce de dix friands.

La Narine Ouest n'était différente de la Narine Est que par sa décoration luxueuse. On y retrouvait également une végétation luxuriante. Enfin, une dizaine de petites cabines étaient mises à la disposition des clients adeptes de luxure.

Dans les deux narines, les planchers étaient vitrés. La vue plongeante sur la ville était époustouflante. On offrait, à la réception, des pilules contre le vertige.

Le grand sec tira sur la chaise et Specteur s'assit.

— Monsieur l'inspecteur aimerait boire un apéritif ?

— De l'eau, s'il vous plaît.

— Gazéifiée ou non gazéifiée ?

— Non gazéifiée, s'il vous plaît.

— Evlan, Vitrel, Gloutte, Sourcel, Eau-oui, Terrier, Purex, Ruisseau, Fluideau ou Nette ?

— Robinet, s'il vous plaît.

— Désolé, mais nous ne tenons pas cette marque.

— Je veux de l'eau du robinet, s'il vous plaît.

— Très bien. C'est comme monsieur l'inspecteur désire.

Le maître d'hôtel tourna les talons et s'en fut quérir la prestigieuse commande de monsieur l'inspecteur. Quand il revint avec son verre d'eau sur un plateau d'argent, Specteur lui demanda l'heure. Le maître d'hôtel renversa sa main gauche pour consulter sa montre.

— Midi trente-cinq, dit-il en ramassant les dégâts.

La prostituée était en retard.

Quinze minutes plus tard, Specteur en était à son cinquième verre d'eau et toujours pas de pute en vue. Un borborygme d'amplitude 8 à l'échelle Viscères lui signifia qu'il avait faim. Sa vessie réclamait également un peu d'attention. Il se rendit aux toilettes et plut. De retour à sa table, une vieille peau ornée d'une perruque ridicule l'attendait. Specteur la toisa.

— Pardon, madame, mais cette place est réservée.

— Je sais.

— Alors, qu'est-ce que vous faites là ?

— La jeune fille que vous attendez ne viendra pas.

— Ah bon ? Et comment le savez-vous ?

— Je suis sa patronne, cher inspecteur.

Elle le connaissait.

— Je me présente : je suis madame Riouje Heuvute, tenancière de bordel.

Sa voix était si rauque qu'elle devait sûrement avoir fumé douze paquets de Gitanes juste avant le rendez-vous.

— Pourquoi aurais-je envie de la tenancière plutôt que d'une de ses employées ?

La vieille dame sourit et Specteur remarqua que le fond de ses rides manquait un peu de maquillage.

— Je suis peut-être vieille, mais je ne suis pas folle. Je me regarde souvent dans la glace et je sais pertinemment que les hommes n'ont plus envie de moi, sauf peut-être pour arbitrer une partie de pétanque.

Elle ne mentait absolument pas. Son visage à peau flasque rappelait une chandelle « petite bonne femme » entamée. Malgré toutes ces années accumulées, sa taille était demeurée respectable. Toutefois, son obsession pour les vêtements étroits, voire exagérément petits, lui donnait l'allure d'un saucisson ficelé.

— Il y a plus de vingt ans que je n'ai pas fait une passe, avoua-t-elle. Oh ! j'ai bien fait une ou deux branlettes cette année, mais c'était pour dépanner de vieux copains.

Il y avait anguille sous moche.

— Dans ce cas, que me vaut l'honneur de votre présence, chère madame ?

La tenancière prit un air sérieux, ouvrit son sac à main et alluma une très longue cigarette.

— Monsieur l'inspecteur, entama-t-elle poliment, bien que vous soyez un représentant de la loi et de l'ordre physique et moral, cela ne vous empêche nullement d'être l'un de mes meilleurs clients, sinon le meilleur.

— Vous m'en voyez surpris.

— Allons, allons, ne soyez pas modeste.

— Bon, si vous insistez, je suis votre meilleur client. Et alors ?

— Vous avez été avec toutes mes filles, souvent plus d'une fois, et vous avez également toujours insisté pour être le premier à profiter des services de mes nouvelles recrues.

— Vous êtes plutôt bien informée.

— Ma répartitrice tient un compte rendu de toutes les conversations qu'elle a avec les clients. Pour la sécurité des filles, vous comprenez...

— Bien sûr.

— Dernièrement, et c'est là que je précise le but de ma visite, dernièrement, donc, c'est-à-dire au cours des six derniers mois, vous avez retenu les services d'une seule et même fille. Toujours la même. Mademoiselle Zelle.

— C'est exact.

— Il se trouve que mademoiselle Zelle a disparu.

Specteur ne broncha pas.

— Et puisque vous avez été son dernier client, je me permets de vous demander si vous savez ce qui lui est arrivé.

Spec leva le bras bien haut et le maître d'hôtel vint à la table.

— Monsieur l'inspecteur désire ?

— Un chateaubriand pour deux, s'il vous plaît.

— Bien, monsieur. Puis-je me permettre de suggérer

à monsieur un petit Gordeaux pour accompagner ce repas ?

— Non merci, pas pour moi. Madame Heuvute ?

— Je prendrais bien un peu de rouge.

— Bien, madame, répondit le maître d'hôtel en tournant les talons.

L'inspecteur Specteur le laissa s'éloigner, puis parla.

— Madame, ce que j'ai à vous raconter n'est pas très jojo. Est-ce que vous avez le cœur sensible ?

— Pas du tout. J'en ai vu d'autres.

— Vous me permettrez de tout vous relater, même quand nous aurons les assiettes sous le nez ?

— Tout à fait.

— Alors, allons-y.

Specteur parla la bouche vide, la bouche pleine, et lui raconta toute l'histoire. Il lui fit part de sa peine quant à la disparition de mademoiselle Zelle et de sa frustration à l'endroit de l'enquête qui piétinait. Le rouge traversait le maquillage de la tenancière et mouillait ses yeux. Le repas terminé, Specteur leva son verre d'eau et regarda madame Heuvute droit dans les pupilles.

— Madame, souhaitez-moi bonne chance dans mon enquête. Que je puisse abattre le coupable au plus vite !

Elle leva son verre.

— Bonne chance, inspecteur.

Le rouge et l'eau tintèrent. Ding ! Avant de prendre la gorgée qui scelle le souhait, la vieille pute lança :

— À la grâce de Dieu !

Le sang de Specteur fit marche arrière.

— Non, non, non, non ! fit-il en se contenant tout de même. Il ne faut surtout pas dire « À la grâce de Dieu » !

— Mais pourquoi ? Vous ne croyez pas en Dieu ?

Un couple passa en vitesse et pénétra dans une cabine à luxure. Cela donna le temps à Specteur de réfléchir.

— Ce n'est pas que je ne crois pas en Dieu, madame Heuvute, c'est que Dieu n'existe pas.

— Comment pouvez-vous en être aussi sûr ?

— Vous l'avez déjà vu, vous ? Vous avez déjà discuté avec Dieu ? demanda Specteur avec une insistance polie.

— Inutile de le voir. J'ai la foi. Je crois qu'il y a quelqu'un, quelque chose au-dessus de nous.

— Voilà que vous confondez les êtres et les choses, ironisa Specteur. Ce n'est pas très sérieux.

— Je me suis mal exprimée. Mais vous avez tout de même tort de dire que Dieu n'existe pas, inspecteur.

« Si vous saviez ! » pensa l'inspecteur en hochant la tête.

— Pourquoi hochez-vous ainsi la tête, inspecteur ? Vous croyez détenir la vérité ?

Une pointe de défi brillait dans ses yeux.

— Dieu est une création de l'homme, chère madame.

— Et comment cela, je vous prie ?

Specteur se désaltéra et se gratta la tête.

— J'ai bien peur de devoir vous exposer ma théorie.

— J'ai bien peur d'avoir envie de l'entendre.

Il n'en fallait pas plus à Specteur pour qu'il déballe sa petite histoire.

— Reportons-nous, si vous le voulez bien, à l'époque des hommes des cavernes. Un homme préhistorique, appelons-le Pierre, tient une branche feuillue dans sa main. Il souffle sur les feuilles et celles-ci se mettent à danser, mues par le contenu de ses poumons. Pierre lève la tête et regarde la cime des arbres. Le vent les pousse à faire des courbettes. Son regard alterne alors entre sa petite branche et les arbres majestueux. Et c'est là que Dieu est créé.

Madame Heuvute plissa les yeux.

— C'est plutôt simplet comme réflexion, non ?

— Attendez, je n'ai pas fini.

— Bon. Continuez.

— Pierre constate avec impuissance que le vent qu'il génère avec son corps est d'une insignifiance déconcertante en comparaison de celui qui agite les arbres. À partir de ce moment, la question que Pierre se pose n'est pas : « **Qu'est-ce** qui souffle plus fort que moi ? », mais plutôt : « **Qui** souffle plus fort que moi ? » Pierre ne peut pas savoir que le vent n'est qu'un déplacement de l'atmosphère. Pour lui, le vent vient de la bouche d'un très grand, d'un immense Pierre, qu'il ne voit et ne verra jamais. Et ce Pierre géant souffle parfois si fort, que petit Pierre en vient à le craindre, à en faire son maître et à le vénérer.

Specteur fit une petite pause et se savoura.

— Reprenez le même exemple en remplaçant le souffle par l'urine et le vent par la pluie, et Pierre se posera les mêmes questions ! ajouta-t-il.

Madame Heuvute écoutait. Elle en voulait visiblement un peu plus. Specteur lui en donna.

— Un jour, des hommes un peu plus futés décidèrent de profiter de cette croyance afin de servir leurs croyances à eux. Ils partirent donc en excursion dans les montagnes à la recherche de l'Être Suprême, celui qui souffle et qui pisse plus fort que tous. Les aventuriers étaient à peu près sûrs de ne rien trouver, mais gravirent tout de même la plus haute montagne, au cas où. Rien. Ils prirent donc le temps qu'il fallait pour rédiger une dizaine de règlements qui leur assureraient une certaine paix et quiétude en société et revinrent tranquillement parmi les leurs. Tout le monde voulait savoir ce qu'ils avaient vu, ce qu'ils avaient appris. Leur dire qu'ils n'avaient rien vu, rien appris ou, pis encore, que l'Être Suprême n'existait pas aurait été inacceptable et les aurait automatiquement condamnés au bûcher. Ils firent donc croire à leurs concitoyens qu'ils avaient rencontré l'Être Suprême et que ce dernier les avait mandatés, eux et eux seuls, pour faire respecter ses règlements. La religion était née.

Madame Heuvute éclata d'un grand rire qui rappela soudainement à Specteur que les êtres humains ne sont que des animaux.

— Ça vous amuse ?

— Plutôt, oui. Mais ce n'est tout de même pas cette charmante petite histoire qui me fera changer d'avis.

— Vous savez, dans mon métier, il faut toujours douter de tout. Tout ce que j'ai essayé de faire, c'est de semer le doute dans votre esprit. Une fois semé, il pousse ou il meurt.

La tenancière haussa les épaules.

— On verra bien !

Specteur avait assez perdu de temps. Il devait se rendre au labo, pour y prendre connaissance des analyses faites sur la jambe.

— Je vais devoir vous quitter, madame.

— Oh ! je comprends cela, inspecteur. Mais, auparavant, laissez-moi vous offrir un petit quelque chose.

Elle sortit un grand livre de son sac à main et le lui tendit.

— Toutes les filles qui travaillent pour moi sont photographiées dans ce catalogue. Vous pourrez donc le consulter à loisir et choisir à l'avance celle dont vous aurez envie pour vous dérouler l'oblique.

— Trop aimable, murmura-t-il en salivant, à la vue de tous ces stimuli pelviens.

— Voilà ! Je ne vous retiendrai pas plus longtemps, inspecteur Specteur. N'hésitez pas à nous téléphoner quand le besoin s'en fera sentir.

Le pauvre Specteur tournait les pages du bout des doigts et n'arrivait pas à contenir une douloureuse érection qui n'avait qu'une seule envie : aller jouer dehors. Madame Heuvute était déjà debout. Specteur la détailla du regard. Il n'aurait jamais cru qu'une telle idée puisse un jour lui traverser l'esprit. Elle était vieille, plissée, sèche ; c'était tout à fait déplacé. Mais il avait le corps policier beaucoup trop tendu. Les mots sortirent de sa bouche, malgré lui.

— Dites, tout cela est trop excitant. Ça vous embêterait de me faire une petite branlette avant de partir ? Dans une cabine à luxure, bien sûr.

Madame Heuvute fut moins surprise que ce à quoi Specteur s'attendait.

— Bon, d'accord. Mais c'est bien parce que c'est vous.

— Merci ! Merci ! Merci beaucoup !

— Après tout, ce ne sera que ma troisième, cette année.

— Oui, oui, c'est ça ! la troisième, oui…

Specteur disait n'importe quoi. Ses oreilles bourdonnaient de fantasmes.

— Bon, eh bien, allons-y ! fit madame Heuvute, qui avait sans doute d'autres chats à caresser.

Le dur monsieur se leva et le couple fit quelques pas en direction d'une cabine à luxure.

— Oh ! un instant ! s'exclama Specteur.

Il retourna à la table, s'empara du catalogue et revint vite auprès de la vieille pute.

— Ça vous embête si je regarde les photos pendant que…

QUINZE

Le commandant Mandant était très frustré. J'en veux pour preuve la douzième tablette de chocolat qui venait de mourir au fond de sa gorge. Il bouffait si mal que sa bouche était toute tachée et avait l'air d'un anus de dinosaure. D'un solide coup de talon, il mit son téléphone hors d'usage.

— Mais qu'est-ce qu'y fout ce putain de Specteur ! ? hurla-t-il.

Il se tourna vers sa secrétaire.

— Crétaire !

— Oui, monsieur.

— Tu m'fais un appel à toutes les voitures ! Je veux voir ce fils de pute de Specteur dans mon bureau le plus vite possible ! Entendu ! ! ! ! ?

— Bien, monsieur.

Crétaire décrocha le microphone.

— Cet appel à toutes les voitures est vraiment très efficace...

Mandant reconnut aussitôt cette voix derrière lui. Il voulut se lever en se retournant trop vite et tomba à plat ventre sur le sol. Une tortue sur le dos se serait relevée plus rapidement. Specteur riait, Mandant crachait et jurait. Une fois debout sur ses gracieux jarrets, le commandant Mandant leva un gros index joufflu en direction de l'inspecteur Specteur.

— Tu ferais bien de me dire ce que tu manigances, bordel de merde ! On te voit jamais ! Alors que je commençais à m'habituer à recevoir les morceaux de pute que tu livres au labo en catimini, voilà qu'on nous balance dix paires de godasses que tu as toi-même commandées !

— C'est qu'ils avaient pas votre taille, alors j'en ai commandé dix paires, persifla Spec.

— Tu te fous de ma gueule ? cracha l'obèse d'un coup de gorge.

Il sortit une boîte de sous son bureau et commença à lancer des souliers à gauche et à droite.

— Tiens ! Tiens ! Tiens ! Tiens, tes saloperies de godasses ! Tiens !

— Mais qu'est-ce qu'il y a ? Elles sont charmantes, ces godasses, non ?

— Ah oui ! ? Eh ben, essaies-en donc une paire si elles sont si charmantes, petit malin.

— J'y compte bien !

Specteur ne comprenait pas pourquoi Mandant s'emportait tant pour de simples chaussures. Qu'il avait, de surcroît, payées de sa poche. Il prit une godasse au hasard, un pied droit, l'enfila et se mit à la recherche d'un pied gauche parmi celles que Mandant avait éparpillées à travers la pièce. Le complexe d'adipe se cala dans sa chaise et observa la scène, un sourire au coin de ses lèvres brunes.

— Alors ? C'est pour aujourd'hui ? gloussa-t-il en lançant une godasse à Specteur.

— Mais, attendez un peu, merde ! protesta Spec. C'est que j'arrive pas à trouver un...

Il se tut net, raide, sec. Ses yeux verts et tout ronds fixèrent Mandant.

— Ce ne sont que des pieds droits ! constata-t-il.

— Ma foi ! glapit le gros nounours, quelle force de déduction ! Tu ferais un excellent inspecteur de police, tu sais !

— Que des pieds droits et identiques ! *Non liquet...*

— Et pourquoi crois-tu que j'étais si énervé, hein ?

— La boîte ! L'emballage ! Qu'est-ce que vous avez fait de la boîte et de l'emballage ?

— Eh ben, tu vas être déçu, mon vieux, parce que ça nous a été livré dans une grosse boîte de carton brun. Anonyme.

— Mais qui a fait la livraison ?

— On sait pas. À vrai dire, on sait moins que moins que rien.

Specteur allait partir, mais Mandant l'interpella.

— Hep ! Où tu vas comme ça ?

— Vérifier la cassette de la caméra de surveillance.

— Tu crois que j'suis trop taré pour y avoir pensé ? La confiance règne, mon vieux !

— Excusez-moi, commandant, mais c'est que toute cette putain d'histoire et ces putains d'indices à la con me font courir comme une poule sans tête sur un tapis roulant.

— Ça va, ça va... Mais si tu me tenais un peu au courant, je pourrais peut-être t'aider à élucider quelques mystères, nom d'une bouilloire à merde !

— Bon, bon, d'accord. Je vais prendre quinze minutes pour vous mettre à jour. Mais d'abord, dites-moi ce qu'il y avait sur la cassette.

Mandant se lécha la babine inférieure, exposant une large langue plate et gluante.

— La caméra de surveillance, juste au-dessus de la

porte de l'entrée principale, a subi une interruption inexplicable pendant une dizaine de minutes. Lorsque le responsable s'est rendu compte de la défectuosité, il s'est immédiatement rendu sur les lieux. Il n'y avait rien d'anormal à signaler, sauf la boîte de chaussures devant la porte. Grande ouverte ! Pendant que des agents inspectaient la boîte à l'extérieur — il aurait pu y avoir une bombe —, le responsable de la surveillance est retourné à son poste et la caméra fonctionnait normalement.

Specteur était songeur. Il pensait au Polaroïd, au panneau près de sa voiture qui avait disparu pendant qu'il était allé chercher le curé. Toutes ces disparitions donnaient au meurtrier un pouvoir inquiétant. Il y avait aussi l'inexistence de Geminus, le message enregistré, l'employé qui ne connaît pas son employeur... Que de données tordues... Spec avait franchi au moins dix millions de kilomètres à travers les méandres, circonvolutions, labyrinthes et ramifications de son cerveau quand le barrissement de Mandant le sortit de son crâne.

— Hé ! Ho ! C'est à mon tour de me faire mettre à jour !

Specteur prit quinze bonnes minutes, comme promis, pour lui raconter une histoire. À part le doigt, le nez et la jambe — ils étaient d'une évidence flagrante — il l'inventa de toutes pièces. Ainsi, l'Everest de cholestérol apprit que Specteur était sur une excellente piste, mais qu'il devait travailler seul parce que l'assassin était futé. Oh ! Il avait beaucoup bûché pour arriver si près du but et n'allait pas laisser des intervenants extérieurs gâcher son enquête. De toute façon, il lui était impossible de tout rapporter depuis le début. Tant d'événements s'étaient produits ! Tous les livres qu'il avait lus sur les décapiteurs, leur profil psychologique, la partie du corps qu'ils coupaient en dernier, etcetera, tout cela, il ne pouvait le relater intégralement. Il se sentait comme un mille-pattes tellement il avait fait des pieds et des mains pour mettre le doigt sur quelque chose de tangible ! Insatisfait des empreintes relevées sur la boîte aux lettres, il était même retourné sur les lieux du « petit bout de crime avec un ongle dessus », et avait décelé des taches brunâtres autour de la trappe. Selon lui, c'était du chocolat. (Mandant en profita pour tourner la tête et s'essuyer la bouche du revers de sa manche.) Une chasse à l'homme avait suivi cette vérification et Spec avait bien failli y laisser sa peau, qui n'était pas neuve, certes, mais qui lui couvrait suffisamment les os pour l'instant.

Il avait également fait appel à un graphologue qui avait analysé l'écriture du fameux « D.L. » Évidemment, ça n'avait rien donné puisque ladite lettre était dactylographiée.

Ce n'était pas tout ! Alors qu'il réfléchissait sur un banc devant la rivière Flaguenot, Specteur avait dû se mouiller le héros. Il avait sauvé un type de la noyade. Un immense bonhomme du nom de Gaspard. Deux mètres vingt, roux, boxeur. Les journées suivantes, Gaspard avait été son bras droit, son gauche, enfin ses poings. Il avait tenu à le remercier de lui avoir sauvé la vie. Grâce à cette armoire à glace, Specteur avait échappé à une mort certaine quand une trentaine de S.M.E.C. lui avaient sauté dessus au fond d'une ruelle sombre.

— C'était mon Bill Ballantine ! lança-t-il à la blague pour dédramatiser son histoire. Depuis, je n'ai pas eu de nouvelles de lui et je n'ai pas vraiment essayé de le retrouver.

Specteur ignorait où il puisait toutes ces idées, mais Mandant le crut dur comme faire se peut. L'obèse poussa sur ses jambes, réussit à maintenir son habitacle suiffeux en position verticale et étreignit chaleu-reusement Specteur. Il suintait de fierté. Spec était le meilleur et il s'en voulait d'avoir pesté contre lui. Ce casse-tête demandait beaucoup de réflexion et il était normal qu'un inspecteur, si talentueux soit-il, prenne du recul et filtre les données avant d'en parler à son supérieur. Cela démontrait, en quelque sorte, une forme de respect. Pourquoi l'aurait-il embêté avec une foule de détails qui, à la longue, allaient s'avérer sans importance ? Mandant lui en était plus que reconnaissant.

Specteur prit congé de son dégoulinant patron et rentra vite à la maison. Trois ou quatre douches ne furent pas de trop pour effacer le jus d'accolade dont Mandant avait si grassement badigeonné son pauvre corps.

Propre de la tête aux pieds, l'immaculé inspecteur ramassa son trench et lança une poignée de graines à la tête de Fido.

— Bôôôôrksiiii !

Avant de sortir, il prit le bout de papier sur lequel il avait travaillé *la phrase* et le fourra au fond de sa poche. Ses vêtements infectés par Mandant reposaient dans un sac de plastique près de la porte. Il se pinça le nez et le déposa dans le bac à ordures. Dehors, sa Renault 5 lui souriait, haletait et branlait le tuyau d'échappement. « Je crois qu'il est temps que j'aille faire un petit tour à la Taverne Occulte », pensa Specteur.

La Renault avait beau filer à toute allure, elle ne consomma que le millième de ce que Specteur se promettait d'ingurgiter. Il arriva enfin, descendit de voiture et replaça ses cent trente-quatre cheveux. Il galopait vers la Taverne quand un gros rouquin tomba du ciel, debout, juste devant lui.

— Qu'est-ce tu fous là ? Qui t'es ? D'où t'arrives ? demanda Spec, intrigué mais nullement décontenancé.

— C'est moi, Gaspard ! mugit la grande brute rouillée.

C'était à n'y rien comprendre.

— Ainsi, enchaîna-t-il, monsieur m'a, à ce qu'il raconte, sauvé de la noyade ?

Specteur allait lui expliquer que ce qu'il avait dit à son sujet n'avait aucune espèce d'importance puisqu'il n'était, ce pauvre Gaspard, que le fruit de son imagination, mais un gnon bien placé le fit taire à terre. Le solide inspecteur se releva et ne fit ni une ni deux, mais trois perforations dans la boîte crânienne du gros réalisé. Ce n'était pas qu'il était violent, mais Specteur détestait que son imagination soit trop fertile. Il rengaina son .666 et entra dans la Taverne Occulte.

La place était presque déserte, mais sa table préférée était prise. Un berger allemand, assis sur une chaise, lapait un grand bol de Maiissìhkh en éclaboussant partout. Spec le toisa en grognant.

— Quoi ? fit le toutou, t'as jamais vu un chien alcoolo, espèce de taré ? Allez, dégage avant que je ne te désosse, minable !

En temps normal, Specteur l'eût mis en laisse au faîte d'un arbre, mais il y avait plus urgent. Il serra les dents et s'installa dans un coin sombre. Une fois calmé, il alluma son portable.

— Allô ? inspecteur Specteur à l'appareil. Passez-moi le commandant Mandant, je vous prie.

Pendant qu'il patientait, Spec sortit son fameux bout de papier et le posa sur la table.

— Commandant ? Oui. Envoyez une ambulance discrète à l'angle des rues Sainte-Lucie et Chemin-de-Fer. Ma voiture est dans le stationnement qui fait le coin... Hein ? Non... C'est qu'y a un cadavre juste à côté. Oui. Je vous expliquerai. Alors, vous me sortez tout ce que vous pouvez apprendre sur ce gaillard, d'accord ?

À l'autre bout du fil, Mandant tapissa d'éloges l'inspecteur parce qu'il avait pris la peine de passer par lui pour réclamer une ambulance. Il voyait là une preuve de bonne volonté et se sentait beaucoup plus impliqué dans toute cette histoire et il n'avait jamais vraiment douté de lui et il l'aimait bien et patati et patata... Entre deux habiles séries de « Hum » et de « Ahan », Specteur prit son catalogue de putes et le déposa sur la table. Il scruta celle qui s'offrait en page couverture et oublia un instant qu'une montgolfière monologuait dans son portable.

La soif poussa sa main vers le haut et le serveur accourut, une belle grosse bouteille de Maiissìhkh à la main.

— *Nunc est bibendum !*

Quand Specteur redescendit les yeux sur la nana nue, il eut un moment de panique. Sa feuille avait disparu ! Il poussa vite le catalogue et une partie du papier réapparut. La feuille était dessous. Il soupira de réconfort.

Mandant en était maintenant à la partie historique de son témoignage. Ah ! comme les premières années de Specteur avaient été bien remplies ! Jamais il n'avait regretté de l'avoir embauché, il avait eu du flair, son instinct ne l'avait pas trahi, bla, bla, bla, ble, bli, blo, blu, bligrec...

Specteur avala une bonne gorgée de Maiissìhkh et décida de retravailler sur *la phrase.* Soudain, la partie de la feuille qui dépassait en biais sous le côté supérieur gauche du catalogue attira son attention mieux que ne l'aurait fait la plus belle pute du monde.

— Aaaaaahhhh ! hurla-t-il.

— *Specteur ? Specteur ! ! ?* fit Mandant au bout du fil.

Il éteignit son portable.

« Pourvu que je ne me trompe pas. Ce ne peut être que ça ! Ce ne *doit* être que ça ! »

Specteur déplaça délicatement le bas du catalogue vers la droite. Il obtint ainsi une tranche de papier égale sur toute sa longueur.

— Aïe ! Aïe ! Aïe ! Aïe ! Ça y est !!!!!

Ça y était, effectivement ! Il avait résolu l'énigme de *la phrase* ! Le soir de sa tentative de décryptage, Specteur avait disposé les mots de la phrase en colonne. Comme ça. Pour rien. Pour essayer. Et voilà ! C'est ce qui l'éclairait maintenant. Sous le catalogue, Specteur ne voyait poindre que le « P » de « PETIT », le « E » de « ENFANT », le « L » de « LAISSE » et la moitié du « O » de « OUVERT »... « PELO ». En dégageant légèrement le bas de la feuille, il résolvait l'énigme.

P ETIT
E NFANT
L AISSE
O UVERT
T ON
O EIL
N OIRCI.
P E L O T O N

Specteur jubilait.

— Ah ! Oh ! J'ai trouvé ! Oh, putain ! Fallait y penser ! Comment n'y ai-je pas songé plus tôt ? Qu'on vienne me dire maintenant que je ne suis pas le meilleur inspecteur de police au monde[1] !

— Dis donc, t'as pas bientôt fini de gueuler, sale cul de nabot !! ? lança amicalement le sympathique berger allemand.

— J'encule ta famille ! répondit doucereusement Specteur avant de retourner à ses moutons.

Bon. PELOTON. PE-LO-TON. Il avait trouvé le mot PELOTON. Et puis après ? On entendait bien un peloton d'exécution dans le message enregistré de Geminus, mais ça rimait à quoi ? La phrase était le

---

1. Il me semble avoir déjà lu cela quelque part.

premier signe, le premier indice qu'il avait reçu de la part du meurtrier. Avant que le meurtre, ou plutôt la décapitation, n'ait lieu. S'il n'avait pas été si bourré ce soir-là, et s'il avait résolu l'énigme, quelles conclusions en aurait-il tirées ? À quoi Specteur aurait-il pensé si un quelconque quidam lui avait dit : « Je vous donne un indice qui, si vous y réfléchissez comme il faut, annonce un événement qui va se produire sous peu. Alors, voici l'indice : PELOTON. »

PELOTON, PE-LO-TON. Quelle est la première chose qui nous vient en tête lorsqu'on pense à un peloton ? Quelle est la première association d'idées qu'on fait ? Peloton, peloton, peloton... Peloton d'*exécution* ! Oui ! Bien sûr ! Cet indice annonçait une exécution imminente ! Et elle avait eu lieu ! Bien entendu ! Quand on dit « peloton », on ne pense pas à un peloton de laine, à un peloton de chevreuils, à un peloton de tournevis ou à un peloton de kilowatts ! On pense : peloton d'exécution. D'ailleurs, ce n'est pas un peloton de tournevis qu'on entendait sur le message enregistré de Geminus. Par cet indice, l'assassin avait sûrement voulu lui enseigner une certaine méthode de travail.

Parfait ! Specteur prit quelques bonnes lampées de Maiissìhkh et se dirigea vers la sortie.

— C'est ça ! cria le clebs hargneux. Fous le camp et va jouer dans ta merde, putain de Tintin à la gomme !

Cet insupportable paquet de poils en faisait un peu trop. Specteur lui réservait un chien de sa chienne. Il lui sourit de tous ses crocs et sortit en silence.

Dehors, une ambulance, tous gyrophares éteints, pointait son cul en direction de la Renault 5. Specteur s'approcha à pas d'inspecteur.

— Ah ! te voilà ! hurla Mandant qui le voyait s'approcher. Qu'est-ce t'avais à crier au téléphone ?

— Ah ! c'est rien, j'ai renversé un verre sur quelqu'un...

— Bon, maintenant, tu veux me dire ce que c'est que cette séance de maquillage aux projectiles ?

— C'est le gros rouquin dont je vous ai parlé...

— Facile à dire ! Ce serait le pape et on pourrait même pas le reconnaître !

— Il a essayé de me buter ! protesta Spec. Je me suis défendu ! Je n'allais quand même pas tenter de préserver son visage dans le but d'une éventuelle séance de photos !

Mandant baissa la tête et se massa les paupières.

— Excuse-moi, Spec, je suis fatigué ces temps-ci. Excuse-moi, mon vieux... Il fallait que tu le descendes, c'est sûr. Ce sera pas facile de l'identifier maintenant qu'il est complètement défiguré, mais on fera notre possible avec les empreintes et tout...

— Ça va, ça va, fit Specteur en lui tapotant l'épaule. Je vais rentrer maintenant, j'ai besoin de dormir.

— C'est ça, mon ami. Va, ça te fera du bien. Surtout après ce que t'as vécu ce soir.

— Vous avez raison. Allez, bonne nuit.

— Bonne nuit, Spec !

Specteur monta dans sa bagnole et fit marche arrière. Mandant agita la main et l'inspecteur immobilisa son véhicule. Il en descendit et s'approcha du commandant.

— Qu'est-ce qu'y a ? demanda le G.M.C[1].

— J'allais oublier un détail très important.

— Quoi ?

— Il faudrait poster deux hommes devant la porte de cette Taverne. On m'a informé qu'un meurtrier déchiqueteur de femmes s'y trouvait.

— Merde ! Des femmes ! Quel salaud !

— Il est très dangereux. Je vous conseille de tirer à vue.

— D'accord ! On n'y manquera pas ! Un déchiqueteur de femmes ! Tu parles !

---

1. Gros monsieur con.

— Au revoir !

— Hé, une minute, Spec !

— Quoi ?

— Tu me donnes au moins le signalement de ce salaud ?

— Bien sûr. Il s'agit d'un berger allemand qui répond au nom de « Tiensalaud ».

— Très bien, c'est noté !

Avant de remonter dans sa Renault, Specteur se tourna vers Mandant et cria :

— Surtout, n'oubliez pas ! Il faut tirer à vue !

— T'en fais pas ! C'est comme si c'était fait !

Mandant posta deux hommes devant la porte de la Taverne Occulte et partit derrière l'ambulance. Quand ils arrivèrent à la morgue, il ne restait plus, du cadavre du rouquin, qu'un beau gros squelette.

***

Dans la nuit sale, une main poilue perça un filet de lumière lunaire et plongea dans un bac à ordures. Elle hissa un sac de vêtements et s'en fut.

SEIZE

Ré lui avait donné rendez-vous au cochodrome. Specteur détestait cet endroit, mais il devait absolument parler au curé. Il n'eut aucune peine à le trouver parmi la foule. Le prêtre était debout sur son siège et hurlait des mots d'encouragement en égrenant son chapelet.

— Oui ! Ouiiii ! Vas-y, mon beau ! Vas-y, mon cochon ! Vas-y, mon beau gros cochon ! Vas-y, démène-toi !

Specteur le soupçonna de vider ses fantasmes sur le dos des courses de cochons.

Ré avait gardé un siège à côté de lui. Spec y prit place et attendit la fin de la course.

— Oui ! Ouiiiii ! Ouiiiiiiiiiiii ! couinait le prêtre.

— *Beati pauperes spiritu*, soupira Specteur.

Le cochon favori, qui portait fièrement le dossard numéro trois, menait par une queue. En franchissant la dernière courbe, il fit, involontairement, un croc-en-patte à celui qui le talonnait. Ce dernier chuta si bien qu'il réussit presque à faire un abat, à la façon des grands joueurs de bowling, avec le reste des coureurs. Le gros cochon numéro trois trotta seul jusqu'au fil d'arrivée.

— Hourra ! Bravo ! hurlait le prêtre en tapant des mains.

« Est-ce vraiment digne d'un homme que d'applaudir un porc ? songea Specteur. Pourquoi ne pas aller l'embrasser dans sa loge après la course, tant qu'à y être ? »

— T'as vu ? T'as vu ça ? criait Ré en reniflant. Il est arrivé premier ! Premier ! ! !

— Et tu gagnes combien ? interrogea Specteur, curieux de savoir si Ré allait pouvoir s'offrir une robe neuve.

— Je récupère mon calice, c'est tout.

— Tu récupères ton calice ?

— Oui ! Je l'avais perdu au poker, un soir que j'voulais me refaire.

— C'est ton père qui serait fier de toi.

Ils rigolèrent un bon coup et le prêtre se planta devant la porte des toilettes.

— Qu'est-ce tu fous ? demanda Specteur.

— J'attends le mec avec qui j'ai parié le calice. Il doit venir me le remettre ici.

Le type en question se présenta, quelques secondes plus tard, sous forme de chimpanzé déguisé en majordome. Il tenait le calice dans sa main.

— Mais qu'est-ce que c'est que cette mascarade ? ricana Specteur, étonné.

— Oh, ce n'est rien ! Il a encore envoyé son foutu macaque faire les commissions à sa place.

Ré s'empara du calice, l'embrassa et fit un distingué « Ouste ! » de la main. Le chimpanzé comprit le message et déguerpit.

Les deux hommes avaient un creux. Le curé Ré suggéra le café Au Petit Orteil I, situé, on s'en doutait, dans un des petits orteils du Grand Nain. Ils y seraient à l'aise pour discuter et pourraient prendre une bouchée, tranquilles, chauffés par les rayons du soleil qui, à cette heure du jour, frappaient de plein fouet l'ongle vitré.

Après un repas bien mérité, Specteur commanda un espresso et Ré, un porto. Il insista pour qu'on le lui serve dans son calice, qu'il venait de sauver d'une transaction certaine. Le prêtre prit et but, car il se sentait chancelant. Il repoussa ensuite le calice vide, se leva et s'excusa auprès de Specteur. Les toilettes le réclamaient.

Cinq minutes plus tard[1], il revint à la table, frais et pimpant, les narines pleines de bonheur. Le bras en l'air, il cria « Porto ! », puis dégaina papier et crayon.

Ses doigts allaient et venaient sur la feuille tel un sismographe. Specteur l'observait en silence.

— Non, décidément, y a pas d'autres mots qu'on peut former avec cette phrase, conclut Ré. Y a que les premières lettres qui fonctionnent.

— C'est aussi ce que j'en ai déduit.

— T'es fort, Spec... T'es très fort... Porto ! ! !

Il avait soif, on lui donna à boire.

— Je suis peut-être très fort, mais je ne suis guère plus avancé... Y a les chaussures qu'on nous a livrées aussi.

— Quelles ? Quelles ? Quelles chaussures ? Quelles ? interrogea l'aspirateur à farine, intrigué.

— J'ai commandé dix paires de chaussures de chez Geminus par l'entremise d'une pub télé.

— Et ? Et puis ? Et puis ?

— Elles étaient toutes du même pied ! Du pied droit !

Ça ne tomba pas dans l'oreille d'un soûl. Ré explosa d'un grand rire. D'un rire si fort, si puissant, si

---

1. C'est forcément cinq minutes « plus tard », puisque si c'eût été plus tôt, vous auriez relu la même phrase que j'eusse écrite il y a cinq minutes.

incontrôlable, qu'il en tapissa sa robe de grandes traînées de mucosités. Il avait l'air possédé pour cent ans.

— Qu'est-ce qu'il y a de si drôle ? maugréa Specteur, embarrassé par tous les regards qui se posaient sur eux.

Mais, déjà, le rire de Ré s'atténuait pour se terminer par un solo de bruits visqueux de toutes sortes, fruits d'une parfaite harmonie oto-rhino-laryngologique.

— T'as fait des études supérieures en écœurement ou quoi ? lui demanda Specteur, qui avait des haut-le-cœur.

Le curé reprit son souffle, qu'il avait laissé dans les toilettes, et s'expliqua :

— Écoute, Spec, je fais pas ça pour te dégoûter et je me fous pas de ta gueule ! C'est que le gag est tellement absurde ! J'peux pas croire qu'une compagnie qui fabrique des chaussures fasse ce genre de blague sans riquer de compromettre sa survie. À moins, bien sûr, que ce ne soit une plaisanterie de milliardaire blasé qui n'a rien à foutre de la rentabilité de son entreprise.

— Mais tous ces souliers du même pied, c'est pas une blague ! C'est un indice ! Encore un indice ! Rien qu'un autre putain d'indice !

— Oui, je veux bien. Mais avoue que l'association est quand même absurde.

— Quelle association ? Mais quelle association ! ! ? ? Je te suis pas, Ré.

— Eh ben, tu dors ou quoi ? Le nom de la compagnie et les godasses que t'as reçues !

— Ben quoi ? Geminus…

Specteur se tut, car un de ses pédoncules cérébraux venait de débloquer.

— Ah la vache ! fit-il, bien qu'il ne vînt pas d'en apercevoir une. Geminus… gémeaux… jumeaux ! Voilà pourquoi les souliers sont tous du même pied !

— Ha ! Ha ! Ha ! Oui, c'est ça ! Elle est bonne, hein ? Un peu grosse, mais bonne tout de même.

— Y a un message derrière cette blague dérisoire ! Y a sûrement un message...

L'inspecteur réfléchissait, le prêtre buvait.

— Mais oui ! lança finalement Specteur. Le gros rouquin, c'était le jumeau de mon rouquin imaginaire !

Moue sceptique de la part de Ré.

— Non... Oui... Enfin... C'est peut-être une explication...

— Quoi qu'il en soit, il faudra dorénavant faire très attention à tout ce qui est texte, image, son, ou autres indices provenant des pubs de Geminus.

— Cul sec ! dit le curé en levant son calice.

Il se gargarisa de porto et essuya sa coupe sacrée avec la nappe. Sa montre émit deux courts bips.

— Bon ben, c'est pas tout ça ! J'ai une messe dans quinze minutes, moi ! Tu me déposes, Spec ?

— Ouais, d'accord.

Avant de prendre place dans la Renault 5, Specteur remarqua qu'on avait glissé un dépliant publicitaire sous l'un de ses essuie-glaces.

— Saloperie de pub ! grogna-t-il en balançant le dépliant au bout de ses bras.

— Oh ! Attends un peu ! protesta Ré, qui se sentait tout à coup économe. Y a p't'être des rabais là-dedans ! Des cinq, dix, quinze pour cent d'escompte ! Qui sait ?

Il se prosterna pour ramasser le papier froissé. Specteur était déjà derrière le volant et attendait patiemment que le curé ait fini sa course aux aubaines.

— Oh, grand Dieu ! cria Ré. J'ai bien fait de le ramasser, dis donc !

— Pourquoi ? Tu vas économiser cinq pour cent sur ton prochain crucifix-vibrateur ?

— Ha ! Ha ! Très drôle... Non, regarde plutôt.

C'était la reproduction exacte du panneau-réclame. Mais, une fois de plus, un détail important avait changé : l'ado avec le casque de militaire était devenu un adulte.

— Bon ! Un enfant, un ado, et maintenant, un adulte ! Qu'est-ce que ça veut dire ? Qu'ils ont toutes les tailles mais pour le pied droit seulement, bon Dieu de merde ! ! ?

— Je comprends ton emportement, dit Ré sur un ton agacé, mais tu aurais pu laisser faire le « bon Dieu de merde ». À ce que je sache, la merde n'a pas de Dieu.

— Tant que tu l'as pas évacuée, elle doit bien en avoir un, non ? Enfin, selon tes croyances ?

— Mais oui, mais oui... Cause toujours... Un jour, je me déciderai à te convertir et j'y arriverai, tu verras.

— Me convertir à quoi ? La cocaïne ?

Ré s'esclaffa en éternuant et neigea du nez.

— Ha ! Ha ! Ha ! C'est dans ces moments que j'aimerais, si je le pouvais, te donner une bonne tape dans le dos.

— Garde tes mains intactes pour m'applaudir quand toute cette enquête sera terminée.

Specteur démarra et fonça, direction église. Il était blotti au fond de sa tête et tricotait avec les nombreux indices qu'il n'arrivait pas à déficeler. Ré consulta sa montre. Il ne lui restait plus que deux minutes avant le début de la messe.

— Dis, tu peux rouler un peu plus vite ? Je voudrais pas faire patienter mes fidèles. Ils sont de moins en moins nombreux.

— Très bien ! Attache ton cordon, vieux !

À partir de ce moment, la Renault 5 ne fit plus aucune ligne droite. Elle zigzagua entre tout ce qui se trouvait sur son passage. Ré sentait son repas et le porto danser le charleston dans son estomac comme une paire de chaussettes dans une machine à laver. Une boule biliaire d'une âcreté rance et aiguë remonta dans son œsophage, traversa sa gorge et se posa délicatement sur sa langue. La vomissure frappait à sa glotte. Le pauvre essaya désespérément de baisser la vitre qui, il l'ignorait probablement, était coincée depuis deux ans déjà. Vous et moi aurions déjà tout gerbé en quadriphonie à cette heure, mais Ré cherchait toujours une solution qui éviterait à son bon ami un nettoyage intérieur complet. Il aurait pu, bien sûr, ouvrir la portière et maquiller quelques personnes au passage, mais la force centrifuge l'aurait sûrement projeté sur le bitume. Ayayaye ! Il était dans une fâcheuse et dégoûtante position.

Specteur gardait les yeux fixés sur la déroute et ne se rendait compte de rien. Quand la Renault 5 immobilisa, enfin, ses quatre roues, il était trop tard. Le prêtre avait dégueulé dans son calice.

— Voilà, on y est ! lança gaiement Specteur. Juste à l'heure, en plus !

Son visage se pinça comme si toutes les odeurs les plus putrides du monde convergeaient vers son nez.

— Pouah ! Quelle odeur ! On se croirait dans le côlon d'un clochard !

Il dévisagea le curé. Ré posa rapidement la main sur son calice. On lui aurait jeté un os tellement il faisait pitié. Specteur profita de l'occasion pour se foutre un peu de sa gueule.

— Je crois que le moment serait mal choisi de dire « Prenez et buvez, car ceci est mon sang ».

Ré eut un fou rire doublé d'une légère nausée dont il se débarrassa aussitôt au pied de la Renault.

— Bon ! Je me sauve avant d'y prendre goût ! poussa le prêtre entre deux hoquets. Tu me tiens au courant, hein, Spec ?

— Bien sûr. Allez, bonne messe ! Et sois pas trop sévère à confesse !

Le curé referma la portière. Il se dirigea vers le parvis en délestant discrètement son calice sur le pavé.

Specteur décida d'aller faire un tour au labo, afin de prendre des nouvelles du gros rouquin. Il fit demi-tour et fut contraint de se garer juste de l'autre côté de la rue. Une affiche particulièrement invitante venait de lui lancer un merveilleux sourire. Elle annonçait :

MASSAGES TOUS GENRES
PAR JEUNES FEMMES
ET JEUNES HOMMES
TRÈS EXPÉRIMENTÉS

Il n'en fallait pas plus pour que Specteur fasse déborder un parcmètre. Un salon de massage juste en face de l'église. Tu parles d'une bonne idée ! Dorénavant, il se ferait un plaisir de conduire le curé à chacune de ses messes.

Tout autour de la porte d'entrée, les fleurs fraîches masquaient à peine le parfum de lendemain de baise avant douche qui planait à hauteur de nez. « Sonnez et entrez », indiquait le petit carton sous la sonnette. Ce que fit Specteur. Des arômes de savon, shampooing et huile, à la fraise, à la framboise, à la pomme, aux herbes sauvages et autres prirent aussitôt son odorat en otage.

L'antichambre était petite et ne comptait que deux fauteuils. Specteur s'installa dans le plus vaste. Une chaude lumière jaune soleil douchait la pièce. En demi-lune, un immense rideau de velours ocre, ondulé, ballottait très légèrement, absorbant stress et angoisse. Specteur ferma les yeux et toussota. Il se voyait déjà à poil, sur le ventre. Les fesses, les cuisses et le dos pleins de phalanges, phalangines et phalangettes. Une voix suave se lova au creux de son oreille.

— Bonjour, mon chéri…

Specteur ouvrit un œil, puis rapidement le second pour embrasser le généreux galbe des deux seins qui s'offraient à ses yeux friands. La masseuse était penchée sur lui et chuchotait à son oreille.

— Suis-moi, mon chéri. Viens, viens, que ta peau ne m'oublie jamais…

Elle était d'une sensualité à faire durcir un quadraplégique. Specteur la suivit sans aucun effort. Elle empoigna le rideau et, avant de l'ouvrir, se tourna vers Specteur en bombant le torse.

— Je m'appelle Madeleine, dit-elle en époussetant la pièce de ses interminables cils.

Derrière le rideau, un long corridor, éclairé par de petits chandeliers fixés aux murs, présentait de nombreuses portes. Ils s'arrêtèrent devant celle qui portait le numéro treize. Specteur en fut ravi. Madeleine pénétra dans la chambre et dégagea l'entrée pour laisser passer l'inspecteur. Sa libido le hala à l'intérieur.

La table à massage se trouvait au centre de la pièce. Aux murs, le même type de rideau que celui de l'antichambre amortissait les douces notes de piano qui s'évadaient d'une chaîne stéréo. Des huiles à massage diverses, ainsi que des kleenex en abondance, reposaient sur une tablette contre le mur. À côté de la table à massage, une petite table de chevet était garnie de magazines pornographiques.

Specteur était envoûté. Il restait là, debout, les bras ballants, ne sachant trop que dire ou que faire. Son regard était flou. Il avait les yeux comme des crachats gelés. Devant autant d'initiative, Madeleine crut bon de prendre les commandes. Elle s'approcha de Specteur et le débarrassa de son trench.

— Derrière ce rideau, il y a une porte, susurra-t-elle à son oreille. Tu entres, tu prends une longue douche chaude et tu me reviens, tout propre, dans un peignoir…

Elle roulait ses « r » comme si elle s'en gargarisait. Au point de vue buccal, ça promettait. Specteur se dirigea comme un somnambule jusqu'au rideau. Il jeta un regard derrière lui, sourit bêtement et disparut.

En l'attendant, Madeleine étala quelques bouteilles d'huile sur la table de chevet. Puis elle se dévêtit complètement et enfila une robe de chambre en soie qu'elle prit soin de décolleter avec grâce. Un demi-sourire permanent soulevait ses pommettes et creusait ses fossettes. Sa longue crinière noire, sinueuse, abritait des épaules roses et des clavicules saillantes. Elle devait faire un mètre cinquante et l'envie de toutes ses copines de travail. Un petit nez effilé trônait au dessus d'une bouche trop belle pour rester vide.

Ses doigts longs et fins tournèrent les robinets. L'eau tiède coula sur ses mains. Elle les plaqua l'une contre l'autre et les frotta comme un voleur qui s'apprête à faire un bon coup. Les mains en coupe, elle laissa l'eau s'y accumuler et s'en aspergea le visage.

Specteur sortit sur les entrefaites. Il fit quelques pas timides et attendit sagement les instructions. Son peignoir était si dru et si épais qu'on aurait dit qu'il avait enfilé un costume de mascotte et oublié la tête. Une protubérance considérable empêchait le tissu de tomber en ligne droite. Madeleine avança langoureusement vers Specteur. Elle baissa un peu les yeux.

— Qu'est-ce que tu caches là ? chuchota-t-elle. Pas un revolver, j'espère.

— Si. Mais ne vous en faites pas, il est chargé à blanc.

L'inspecteur Specteur était très fier de sa réplique[1] et sentait la confiance se balader dans ses veines.

— Hmm… fit la masseuse. T'as de l'esprit… J'aime les types qui ont de l'esprit…

Tout type d'esprit qu'il était, il ne trouva rien à rétorquer. Madeleine alla se placer derrière lui et resta silencieuse pendant une trentaine de secondes. Specteur trouvait la situation inconfortable, mais n'osait se retourner, de peur de tout gâcher. Il sentit

---

1. Y a pas de quoi être fier, c'est moi qui la lui ai mise dans la bouche.

enfin deux mains se poser sur ses épaules et ramener délicatement le peignoir vers l'arrière. En tombant, le tissu fit autant de bruit qu'une boule de ouate et Spec se retrouva nu comme un ver pelé.

— Tu t'étends sur le ventre maintenant, mon chéri, murmura Madeleine en expirant sur la nuque du néo-nudiste.

Specteur s'étendit tant bien que mal, compte tenu du gourdin qui poussait vers le sol. Madeleine mit une serviette sur ses fesses et entama la besogne. Spec ne voyait rien, mais entendait tout des préparatifs. Un long « Tppfffllllloouuiiiitttt ! », semblable à une flatulence d'otarie, brisa un peu le romantisme qui coulait dans la chambre. La tête dans l'oreiller, Specteur devina que la masseuse venait de presser une bouteille d'huile au creux de sa main. Il lui semblait qu'elle mettait une éternité à commencer à le toucher, le frotter, le frictionner, le palper, l'égratigner, le goûter. Elle le rassura :

— Je garde l'huile au creux de ma main, le temps qu'elle se réchauffe un peu. Je voudrais pas te faire sursauter, mon chéri.

Que d'attentions ! Specteur était au septième sous-sol ! Quand Madeleine appliqua enfin les mains sur lui, il sursauta malgré tout.

— Aïe ! ! !

En fait, les deux sursautèrent.

— Aïe !

— Aïe !

— T'as un corps exceptionnellement chaud, pour ne pas dire brûlant, tu sais.

— Je crois plutôt que ce sont vos mains qui sont exceptionnellement chaudes, chère Madeleine.

Elle reposa très lentement les mains sur le dos de Specteur et éprouva de nouveau la chaleur démesurée que le contact de leur peau produisait. Elle persista et tint les mains en place. Bientôt, la chaleur devint plus supportable et elle put commencer le massage.

La sensation était troublante tant la chaleur était dense et, par le fait même, très excitante. Madeleine sentait l'énergie calorifique grimper le long de ses bras et lui chauffer les aisselles. Quant à Specteur, il avait l'impression que ses viscères allaient se mettre à bouillir. La masseuse n'abandonna pas pour autant. Plus elle massait, plus il lui semblait que la chaleur s'atténuait. Specteur poussait des « Ahhhh ! », des « Ohhhh ! » et des « Hmmmm... » de bonheur. Ou était-ce de douleur...

La température était, à présent, tout à fait agréable. Madeleine demanda à Specteur de se retourner sur le dos. Il ne se fit pas prier. Elle remit un peu d'huile dans ses mains et commença lentement à le masser au niveau du torse. Il leur fallut de nouveau s'habituer à la récidive de chaleur, qui s'était considérablement estompée pendant la volte-face horizontale de Spec. Une fois la température rétablie, Madeleine descendit, du bout des ongles, jusqu'à son homme. De part et d'autre, la chaleur était beaucoup plus intense. Quand elle referma la main sur Specteur, il eut la sensation qu'on lui appliquait de la cire chaude. Il gémit quelque peu et, encore une fois, la chaleur diminua pour devenir tout juste tolérable.

Madeleine commença à battre la cadence tout en massant les cuisses de son client, qu'elle trouvait plutôt particulier. Après cinq à dix minutes de branlette, elle avança la bouche de façon à accélérer un peu les choses. Lorsque ses lèvres entrèrent en contact avec la peau de Specteur, elle eut un choc et recula aussitôt la tête. Elle posa une main sur ses lèvres. Ma foi ! Mais, ma foi ! Non, elle n'était pas folle ! Elle s'était bel et bien brûlée ! Il lui avait brûlé les lèvres ! Specteur la regarda avec compassion.

— Pardonnez-moi… Je ne savais pas que…

— Non, non ! dit-elle. Je ne sais pas ce qui se passe, mais ce n'est ni votre faute ni la mienne. Il semble que nous ressentions tous les deux la chaleur de l'autre avec la même intensité.

Elle baissa de nouveau la tête.

— Non, fit rapidement Specteur, laissez tomber. Je ne voudrais pas abîmer de si belles lèvres.

Madeleine le termina à la main et Specteur gicla brûlant. Le visqueux liquide bouillant sur sa peau lui fit affreusement mal. Néanmoins, elle le travailla jusqu'au bout. Quand elle sut qu'il était bien soulagé, elle lâcha prise et alla vite se rincer les mains à grande eau froide. Pendant qu'elle s'affairait au-dessus de l'évier, Specteur renfila le peignoir et s'avança vers elle. Madeleine se retourna d'un coup sec et le fit sursauter.

— Je ne sais pas encore ton nom, souffla-t-elle, quelque peu ébranlée par l'expérience qu'elle venait d'avoir.

— Specteur. Inspecteur Specteur.

— Ah tiens, un policier !

— Inspecteur de police, précisa-t-il.

— Alors, mon chéri d'inspecteur, toi qui es habitué de mener des enquêtes et résoudre des énigmes, tu peux m'expliquer ce que nous venons de vivre ?

Specteur hocha la tête.

— Je n'en ai pas la moindre idée.

Il l'admira de haut en bas et demanda :

— Il y a longtemps que vous travaillez ici ?

— Depuis l'ouverture.

— C'est-à-dire ?

— Environ un an.

Il partit récupérer ses vêtements. Quand il revint dans la chambre, elle changeait les draps de la table de massage.

— Et que faisiez-vous avant de travailler dans ce charmant établissement ?

Madeleine soupira et fit une moue défaitiste.

— Oh, c'est une longue histoire ! dit-elle en laissant tomber les bras.

— Y a sûrement moyen de résumer tout ça en quelques lignes, non ?

— Je crois bien que oui.

Elle lui raconta tout. Avant de faire des massages, elle était religieuse au couvent Sainte-Clothilde. « Bougre de merde ! pensa Specteur. Tout s'explique ! C'est le même phénomène qu'avec Ré qui se produit ! Puisqu'elle est défroquée, les contacts ne provoquent pas de brûlures, mais seulement une chaleur très intense. Et plus on touche les parties que l'Église réprime, plus c'est chaud ! » Specteur fit taire sa pensée et écouta la fin de l'histoire.

Un soir qu'elle se croyait seule dans sa chambre, elle s'était adonnée à la luxure à trois doigts. Pendant qu'elle jouissait, elle avait fait la nomenclature intégrale de tous les jurons et toutes les cochoncetés, existants et inexistants. Tapie dans le noir, sa partenaire de chambre avait tout vu, tout entendu et l'avait joyeusement dénoncée à la mère supérieure. Naturellement, Madeleine avait été bannie du couvent. Ça allait de soi. Ce à quoi elle ne s'attendait pas, cependant, ce fut de se faire claquer la porte au nez par ses propres sales parents. La direction du couvent les avait renseignés sur les motifs d'expulsion de leur fille. Elle avait donc dû partir, seule, sans le sou, et avait finalement trouvé cet emploi. Elle ne s'en accommodait pas si mal depuis.

— Il y a des semaines où c'est très payant et d'autres, comme cette semaine, où je tire le diable par la queue.

Sensible à ce touchant témoignage, Specteur lui versa le double de la somme réclamée et la quitta en lui promettant de faire tout ce qui était en son pouvoir pour devenir un client très régulier. Madeleine le remercia chaleureusement en l'embrassant sur la bouche et tous deux se brûlèrent les lèvres.

Dehors, le soleil tirait sur la lune. Specteur se délia comme un chat en caoutchouc et flotta jusqu'à sa bagnole. Il retomba vite sur terre quand il se rendit compte qu'on lui avait collé une contravention.

— Aaaaaaaahhhhhhh ! ! ! fit-il sur le ton d'un saxophone enrayé.

Il s'apprêtait à déchirer le mesquin petit papier quand une oreille, insérée dans la contravention, tomba sur le sol. Une rafale d'oxygène et d'adrénaline purs lui traversa le cerveau. La colère poussa son maxillaire inférieur vers le bas.

— Non, mais vous allez tout de même pas me la réexpédier au complet, morceau par morceau, bande de tarés ! hurla-t-il en tournant sur lui-même. Qu'est-ce que vous allez m'envoyer quand vous aurez tout coupé, hein ? Les globules rouges ! ! ?

L'inspecteur se calma et plaça l'oreille au fond de la poche de son trench. Soudain, une vingtaine de voitures de police, hurlantes et aveuglantes, l'encerclèrent. Specteur jeta un coup d'œil rapide aux alentours, à la recherche du méfait qui faisait courir autant de flics d'u seul coup. Ce devait être un coup majestueux ! Une alerte à la bombe, une prise d'otages, un suicidaire perché sur un toit...

Au moment où Spec allait s'informer auprès d'un officier quelconque, son bras gauche fut ramené très haut en arrière, un coude se plaqua contre sa nuque et il fut poussé face contre capot.

— Je le tiens ! cria l'officier qui le maîtrisait.

— Maintenez-le en place, j'arrive !

Specteur reconnut la voix de Mandant. Qu'est-ce que ce gros enculé de putain de saleté de fils de pute de chienne de salope de tas de merde de chiasse d'hémorroïdes de cul-de-jatte de crasse de con de chancre de morve de gnou de mes deux croyait qu'il était en train de faire ?

— Mandant ! cria Spec du mieux qu'il put, compte tenu de la pression qui lui collait les deux joues. Mandant, bordel de merde ! ! !

Babar s'approcha.

— Du calme, Spec ! Passez-lui les menottes !

— Quoi ! ? Les menottes ! ! ! Je vous rappelle que je suis inspecteur de police, au cas où votre cervelle de bovin l'aurait oublié ! ! Aïe ! ! !

Le métal froid venait de se refermer sur ses poignets.

— C'est beaucoup trop serré ! protesta-t-il. Vous allez me suicider, nom d'une merde !

— La ferme, Spec ! cria Mandant à bout de nerfs. Si je fais ça, c'est que j'ai mes raisons ! Fouillez-le !

Specteur se tut et mit quelques balles dans son pistolet à patience.

— Commandant ! cria un jeune officier qui avait les mains longues. Venez voir !

Mandant marcha jusqu'à lui en toute balourdise.

— J'ai trouvé l'oreille.

Un silence d'intérieur de BMW prit toute la place. Le jeune homme mit l'oreille dans la main de l'ex-maigre. Mandant la fixa longuement en hochant la tête. Le lobe du bout de peau et de cartilage inerte était troué. Pour une fois, au lieu de la manger, le commandant Mandant eut la chair de poule. Une larme coula sur une de ses bajoues.

— Spec, soupira-t-il, t'es cuit, mon vieux...

— Quoi ?

— Emmenez-le...

— Quoi ? Mais, mais, vous êtes cinglés ou quoi ? Lâchez-moi ! Mais lâchez-moi, sale troupeau d'attardés mentaux !

Il fut traîné de force jusque sur la banquette arrière d'une voiture de patrouille et, dans la mêlée, le jeune officier aux mains longues se délesta de cinq coups de poing, deux coups de pied et quatre coups de genou qu'il avait en trop.

Specteur le dévisagea et photographia son mignon petit minois.

DIX-SEPT

Le prisonnier Specteur regardait le même extrait vidéo pour la huitième fois.

— Alors ? hurla Mandant. Tu vois bien que c'est toi, non ?

— ...

— Mais parle, bon Dieu de merde !

— ...

— Aie au moins le cœur et le courage d'avouer !

L'inspecteur Specteur observait Mandant avec un sourire de supériorité qui en disait long. Lui qui, d'habitude, préférait rire en compagnie de gens qu'il estimait, tonna de la rate à s'en cracher les cordes vocales. Mandant resta calme et attendit la fin de la crise d'hilarité en transpirant d'à peu près partout. Spec excréta le reste de sa bonne humeur dans un mouchoir. Soudain, l'expression de son visage changea du tout au tout : il devint de glace sèche. Il fixa Mandant qui, ne pouvant soutenir son regard, fit semblant de chercher une porte de sortie dans les poches de son veston.

— Cher commandant Mandant, dit Specteur comme s'il lisait une lettre. *Res loquitur ipsa...*

— Tiens ! Tu t'es enfin décidé à parler ! Eh ben, c'est pas trop tôt !

Specteur posa son index sur ses lèvres et Mandant capta l'essentiel du message.

— Quoi ? Qu'est-ce qu'y a ? Pourquoi tu veux que je me taise ?

— Chut...

— Hé ! Ho ! C'est moi le commandant ici, non ? De quel droit tu me dis de la fermer, hein ? De quel droit ? C'est pas un petit inspec...

— Tu vas la fermer, ta grande gueule d'ogre, gros ignorant ! Tu veux que je parle, oui ou merde ? Si tu veux que je parle, boucle ta putain de cuvette ou c'est moi qui vais me taire pendant deux siècles !! C'est compris, espèce de gros symbole de l'incompétence ?

Mandant se lécha les babines et ravala sa salive, qui avait un goût de mer polluée.

— Mais Spec... Tu ne m'as jamais parlé sur ce ton, pleurnicha-t-il en écartant les bras.

— C'est pour ton bien. Maintenant, écoute-moi très attentivement. Je vais faire une déclaration. Une seule déclaration. Une seule. UNE ! Et je ne veux surtout pas être interrompu sinon je me tais à jamais ! C'est clair ?

— Voui.

— Si cette déclaration ne t'éclaire pas, soit tu es encore plus bêta que je le croyais soit tu as été conçu avec des spermatozoïdes périmés. Pigé ?

Mandant donna un solide coup de talon sur son orgueil et, la gorge nouée, déclara :

— Vas-y, Spec... je t'écoute.

Specteur joignit les mains à la hauteur de son visage, s'avança sur le bout de sa chaise et commença.

— Un principe élémentaire dans le domaine des enquêtes policières veut que l'on reconnaisse un individu, non pas à son accoutrement, mais à son visage, ses mensurations et autres caractéristiques particulières et propres à cet individu. Or, il appert que, sur la vidéo amateur que vous me passez et repassez depuis tout à l'heure, le quidam qui porte des fringues identiques aux miennes est filmé de dos les trois quarts du temps. Les moments où l'on entrevoit son visage, il est tellement mal éclairé qu'on dirait un Noir. D'où le doute raisonnable quant à la possibilité que ce soit moi. De plus, le fait de ne pas connaître la provenance de cette vidéo, ça sent le coup monté. Enfin, je déclare avoir délibérément jeté aux ordures tous les vêtements que je portais hier, après cette dégoûtante et dégoulinante accolade que tu m'as infligée. Je sais, c'est dur à entendre, mais c'est la triste réalité, patron. Vous me dégoûtez. Vous me levez le cœur. Vous puez, vous avez mauvaise haleine, vous suintez de partout, vous bouffez comme un sale porc qui n'a jamais vu de bouffe…

Mandant fit un signe de la main qui voulait dire : « Ça va, ça va, j'ai compris ! » Specteur enchaîna :

— Bref, je me suis débarrassé de mes fringues. C'est la vie de mon odorat qui était en jeu. Voilà, c'est tout pour ce qui a trait à l'identification de l'homme qui me ressemble sur la vidéo amateur.

Croyant la tirade de Specteur terminée, Mandant leva un doigt et ouvrit la bouche.

— Je n'ai pas terminé ! lança sèchement Specteur. Vous saurez que j'ai terminé lorsque je dirai : « J'ai terminé. »

L'obèse leva la main et hocha la tête, ce qui voulait dire : « Bon, d'accord, continue. »

— Il ne vous est jamais venu à l'esprit que la femme qui est présentement à l'hôpital et à qui j'aurais, semble-t-il, coupé une oreille, et qui prétend reconnaître en moi son agresseur, il ne vous est jamais venu à l'esprit, donc, une seule minute, que cette femme était en état de choc et que sa souffrance réclamait nécessairement une vengeance ? Que, étant donné cette amputation qui l'enlaidit à vie, mon incarcération est sa seule consolation ? Avez-vous, une seule seconde, songé à faire analyser l'oreille que vous avez trouvée dans ma poche, de façon à voir si elle appartient à cette pauvre femme ou si elle est la sœurette des doigt, nez et jambe que nous avons déjà au labo ? Si cette dernière hypothèse est la bonne, je me sens obligé de vous dire que vous aurez bientôt l'air encore plus abruti que vous le paraissez maintenant et que je perds présentement un temps précieux à enseigner les rudiments du métier d'enquêteur à mon « supérieur », alors que j'ai une enquête en cours qui est sur le point d'aboutir.

Il ferma les yeux et prit une grande respiration.

— Voilà. J'ai terminé.

DIX-HUIT

Le commandant Mandant avait grand besoin de ces quelques jours de vacances. Il était fatigué, au bout du rouleau, à fleur de peau. Il frôlait la dépression nerveuse. Les réprimandes de son inspecteur favori l'avaient ébranlé. Specteur, toutefois, s'était fait rassurant. Il avait été dur avec lui, mais c'était pour son bien. Il ne pensait pas un mot de ce qu'il avait dit — il tenait les doigts croisés derrière le dos —, mais savait que c'était la seule façon de lui faire entendre raison. Il avait expliqué avoir jeté ses fringues aux ordures parce que Fido les avait tout bonnement recouvertes d'un trop-plein de graines et d'eau. Mandant avait gobé toutes ces excuses comme un vulgaire amateur et avait remercié son grand ami de lui avoir ouvert les yeux.

Avant de laisser filer son patron, Spec prit des nouvelles du gros rouquin. Il était consterné. Qui donc avait des talents de prestidigitateur aussi considérables ? Le Polaroïd qui ne photographie pas tout, les panneaux-réclames qui disparaissent, le cadavre dont la chair s'évapore... David Copperfield n'était pourtant pas dans les parages !

Specteur et sa Renault 5 roulaient au hasard. Les quatre heures de taule lui avaient donné la migraine. Il s'arrêta près d'un parc et abattit une trentaine de pigeons, histoire de se détendre un peu. Quand il se réinstalla derrière son volant adoré, il ne se sentait guère mieux. Sa jauge d'alcool indiquait presque zéro. Il appuya à fond sur l'accélérateur et sa caisse renifla vite la piste de la Taverne Occulte. Specteur pourrait bientôt donner un bain de Maiissìhkh à ses papilles.

Dans le stationnement, Gérard et Roger, les siamois, titubai(en)t allègrement. Gérard venait visiblement de jouer une partie de *Longue Vie*, puisqu'il tenait encore le pistolet qu'il avait probablement dérobé à la machine. Specteur n'était vraiment pas d'humeur à se faire interpeller par un duo unitronc. D'autant plus qu'il détestait voir double à jeun. Ils marchaient les uns vers l'autre ou les autres vers l'un quand Gérard ouvrit un des orifices qu'il avait dans le visage : le mauvais.

— C'était encore une putain de femmelette ! hurla-t-il à Specteur en tirant les cheveux de Roger. À peine treize balles, bordel de merde !

Il brandissait dangereusement son pistolet qui, de temps à autre, pointait en direction du visage de Specteur.

— Donnez-moi ce flingue ! commanda l'inspecteur.

— Ta gueule, connard ! hurla Gérard.

— C'est vrai, tu devrais lui donner le flingue, approuva Roger.

La désapprobation de Gérard se manifesta sous forme de coup de crosse sur la tête de son frangin et de crachat au visage de Specteur. La situation ne prit pas goût de tinette. Spec dégaina et fit feu dans sa grande gueule. Roger criait et se débattait comme Jésus dans l'eau maudite. À coups de .666, Spec acheva son œuvre en séparant Gérard de son frère. Après une douzaine de balles, il ne tenait plus que par un lambeau de chair. Spec tira fermement sur la moitié de cadavre et le lien de peau se déchira comme une pelure de banane verte. Le sang mêlé de tripes dessinait des soleils sur le pavé. Roger braillait comme un veau qu'on égorge et essayait de garder ses entrailles à la maison. Specteur le regarda avec compassion.

— Tu pourras dire que tu as été seul au moins une fois dans ta vie.

Un coup de faiblesse lui scia les jambes et Roger se retrouva au sol. Il dut cependant agoniser seul, car Specteur était déjà à l'intérieur de la Taverne, à engloutir une bouteille de Maiissìhkh.

Quand il ressortit, passablement éméché, les cadavres avaient disparu. À l'endroit où ils auraient dû se trouver, une lettre. Specteur lut :

Cher inspecteur Specteur,
Merci de ce bon débarras. Il(s) commençai(en)t à m'emmerder royalement. Merci encore.

Satan

La lettre s'enflamma.

Sur le chemin du retour, Specteur passa devant la gare Truchenaut. Il remarqua qu'on avait remplacé la fameuse boîte aux lettres qu'il avait délicatement ouverte à l'aide de son .666. Il stoppa sa bagnole et chancela jusqu'à la boîte. La nuit était chaude et humide. Entrecuisse de Vénus. Il s'assit par terre et appuya son dos contre la paroi métallique. Elle le rafraîchit un peu. Les yeux mi-clos, il ressassa cet épisode. C'est là que tout avait commencé. Le vieil escargot et son trousseau de clés, le gosse avec le casque, le numéro de la boîte... Spec se demanda si le numéro d'identification était resté le même ou si la nouvelle boîte en portait un nouveau. Il ne se souvenait plus très bien de l'ancien, mais se rappelait qu'il commençait par un « 2 ». Une main sur le sol, il ramena une jambe vers lui et se releva avec peine.

Son nez était presque collé sur la boîte aux lettres quand la surprise le gifla. Le numéro commençait bel et bien par un « 2 », mais ce n'était pas ce qu'il y avait de plus surprenant. Ce qui avait poussé Spec à sortir un calepin et à noter le numéro, c'était qu'on l'avait encerclé, souligné trois fois et entouré de flèches qui pointaient dans sa direction. Sur une boîte toute neuve ! C'était plutôt étonnant qu'on se soit attardé à griffonner autour de ce détail. Spec était convaincu qu'il s'agissait d'un message qui lui était directement adressé.

Revenu chez lui, il s'étendit dans son lit et jongla avec sa nouvelle donnée. 2X20-15-9. Qu'est-ce que ça pouvait bien vouloir dire ? C'était peut-être un numéro de téléphone ? Non, les numéros de téléphone en Friande comptaient huit chiffres. Sa pensée devenait de plus en plus caoutchouteuse. Il entrouvrit légèrement les yeux et constata que Fido rêvait. Il avait de petits spasmes et donnait des coups avec son aile droite. Spec referma les yeux et plongea. Une eau somnolente le supportait. Le ciel était d'une brillance aveuglante. Il lui pinçait les pupilles. Une paroi de glace l'entourait et l'horizon lui semblait embrouillé. À force d'observer la surface transparente qui l'enrobait, il crut déceler des lettres sur un fond rectangulaire plus opaque. L'assemblage de ces lettres était plutôt incongru. Un mot prit forme. Specteur naviguait dans une bouteille de Maiissìhkh. Il avait le vent dans les voiles et descendait plein sud. Son embarcation tanguait, tanguait, tanguait. Il eut soudain le mal de Maiissìhkh et colora son oreiller.

Au petit matin, la première question qui lui traversa le mal de bloc fut : « Pourquoi les fabricants de Maiissìhkh ne dissolvent-ils pas une cinquantaine d'aspirines dans chacune de leurs bouteilles ? » Il jeta son oreiller aux ordures, puis prit une douche corporelle et buccale.

Curieusement, il se sentit d'attaque. Ce plein d'alcool qu'il avait fait la veille y était sûrement pour quelque chose. Il enfila ses vêtements en vitesse, fit la bise à Fido et sauta dans les bras de sa Renault. Une bonne dizaine de minutes s'étaient écoulées quand il remarqua que quelque chose brillait par terre, devant le siège du passager. Il s'étira le bras et ramassa l'objet en question. Il s'agissait d'une cassette audio. Spec l'inséra dans le lecteur et monta le volume. C'était sa propre voix ! Sa voix et celle de Ré !

— *Il faut décortiquer les données. Données littéraires...*

— *La phrase.*

— *Données visuelles...*

— *Le gosse, l'œil, le panneau-réclame... le casque de militaire trop grand... casque de militaire trop grand... casque de militaire trop grand... casque de militaire trop grand...*

On les avait enregistrés à leur insu ! Il devait donc y avoir des microphones chez Ré. Specteur devait le prévenir au plus vite. Le frein à main tiré à fond, le volant tourné complètement vers la gauche, la Renault 5 fit un tête-à-queue parfait et s'élança à toute vitesse, direction curé.

À la porte du prêtre, on avait accroché un crucifix. Specteur fit deux pas en arrière et faillit se retrouver sur le dos. Il retourna à son auto et rapporta une casquette avec laquelle il recouvrit la croix. À l'approche du crucifix, ses doigts crépitèrent légèrement mais il n'en fit pas de cas. Il devait absolument parler à Ré.

Après trois coups de sonnette sans réponse, il toqua à la porte. Silence. Il frappa un peu plus fort. Rien. Poings et pieds bien fermés, il administra à cette putain de porte une raclée monumentale, si bien que le crucifix baisa le sol. Un petit coup de pied, rien de plus, et le petit bonhomme cloué disparut. Spec tâta la poignée. C'était verrouillé. Une seule dose de .666 suffit à dompter le loquet récalcitrant. Il ouvrit et aperçut Ré qui se démenait dans le cadre de la porte arrière. Le prêtre essayait désespérément de pousser un infirme et son fauteuil roulant vers l'extérieur. Il perdit pied et tomba pour la deuxième fois.

DIX-NEUF

Deux séries de crocs jaunes bien alignés fonçaient sur lui à toute vitesse. Specteur dégaina son arme et la pointa avec plaisir vers le chimpanzé.

— Hin ! Hou ! Hou ! Han ! Hin ! Han ! lança le singe dans une langue appelée à disparaître.

— Tiens ! Attrape ce minuscule somnifère éternel, dit Specteur en mirant la cible mouvante.

La balle n'eut pas le temps de quitter son logis, car un « TOTO ! ! ! » de panique résonna dans la pièce. Le chimpanzé gela sur place et décourba l'échine en se frappant la poitrine.

— Toto, ici ! tonna l'infirme.

Le singe se calma et vint faire le beau à côté de son maître. Ré, surpris plus tôt en flagrant délit de fuite, était mal à l'aise et n'arrêtait pas d'épousseter sa soutane. Il évitait autant que possible le regard d'inspecteur que lui lançait son ami. La scène était lourde et Spec savourait le malaise que provoquait son silence immobile.

Il se décida enfin à bouger, ce qui banda davantage le fil de leur fragile harmonie. En s'approchant lentement des deux fugitifs, il se rappela la conversation téléphonique qu'il avait eue avec le jeune vendeur de Geminus. Quand Spec lui avait demandé qui lui avait proposé ce job, le jeune avait répondu :

Tout ce que je me rappelle, c'est qu'il était petit, laid et en chaise roulante...

La description était on ne peut plus juste. Specteur les toisa tous deux et prit un ton de père de famille.

— Eh bien ? Que se passe-t-il ici ? Est-ce qu'on tenterait de me cacher quelque chose, par hasard ?

Zirprus lui jeta un regard torve. Il ne s'attendait pas à se heurter aussi tôt au fameux inspecteur Specteur. Heureusement, il avait eu le temps d'inventer un prétexte afin que Ré l'aide à s'enfuir. Le prêtre avait tout avalé comme un véritable enfant de chœur. Restait à espérer que l'inspecteur Specteur soit tout aussi crédule. Quoi qu'il arrive, il ne devait absolument pas décliner sa véritable identité. Bien sûr, l'inspecteur était en droit d'exiger ses papiers mais, en bon infirme malhabile qu'il était, Zirprus trouverait sûrement une bonne raison pour les avoir égarés récemment.

Ré prit la parole et, ce faisant, évita à Zirprus plusieurs occasions de se mettre un pied dans la bouche[1].

— Écoute, mon vieux Spec, ce n'est pas ce que tu penses ! On n'a rien voulu te cacher à toi ! C'est à son épouse qu'on voulait cacher quelque chose !

Spec était Spectique. Ce qui n'enlevait rien à son ironie.

— Et qu'est-ce qu'elle lui veut, cette méchante marâtre ? rétorqua-t-il. Le forcer à faire du jogging ?

— Non, non, tu n'y es pas du tout ! protesta le prêtre. Elle sait que nous jouons au poker ensemble et elle menace de lui faire exploser la tête si elle le prend en flagrant délit !

---

1. Ce dont il eût été incapable, étant infirme.

Cet interrogatoire en règle conférait à Specteur un pouvoir tacite dont il profita volontiers.

— Ne serait-ce pas là une bonne façon d'abréger les souffrances de monsieur Demi-Portion ? Avec un physique — que dis-je, un physique —, avec une carrosserie aussi bouffonne, il est sûrement la risée de sa planète ! Personnellement, je ne voudrais même pas de ce corps pour faire tenir une porte ouverte ou comme cible pour mes exercices de tir.

Toto grogna et Ré vint à la rescousse de l'impotent personnage.

— Spec, tu y vas un peu fort. Premièrement, monsieur ne s'appelle pas Demi-Portion, mais...

— Je m'appelle Hedremm Reuthkeps, trancha Zirprus en espérant que Ré ne relève pas le mensonge, et les choses que vous me dites sont de touchants compliments comparativement à ce qui sort de la bouche de ma femme.

Specteur s'en voulait de ne pas avoir été assez cru pour le blesser dans son amour-propre d'invalide. Mais il n'en avait pas fini avec eux. Il baissa la tête et arbora son air le plus menaçant.

— Vous me prenez pour un sale petit con ou quoi ?

— Qu'est-ce que tu veux dire ? s'indigna le curé.

— Quand tu m'as entendu faire sauter la serrure, ne viens pas me dire que tu pensais toujours que c'était sa charmante épouse qui venait quérir son petit bonhomme roulant ! ! !

— Mais si, Spec, mais si ! Elle est armée et dangereuse ! C'est elle, si tu veux tout savoir, qui l'a rendu comme il est aujourd'hui !

Décidément, ce salaud d'infirme lui avait bien lessivé le cerveau.

— Et le crucifix, hein ? C'était pour elle aussi ?

— Quel crucifix ? s'inquiéta Ré. De quoi tu parles ?

— Le crucifix qui était accroché à la porte ! C'est de ce crucifix-là que je parle !

— Je n'aurais jamais accroché un crucifix à ma porte, voyons ! Tu le sais bien !

— Et toi, je suppose que tu n'as rien à voir là-dedans ? demanda Specteur au bout d'chou en lui postillonnant au visage.

— Absolument rien.

Toto s'assit aux pieds morts de son maître et posa sa tête sur ses cuisses mortes. Specteur s'éloigna pour réfléchir. Chose certaine, Ré ne mentait pas. Ou plutôt si. Il mentait, mais par désinformation. Quant à ce Reuthkeps, ce ne pouvait être que le patron de Geminus. Mais il ne fallait surtout pas alarmer Ré inutilement. Spec aurait tout le loisir de lui faire part de ses trouvailles plus tard, quand l'infirme serait parti. Ce qui l'enrageait le plus, cependant, c'est qu'il avait ce putain de meurtrier là, sous la main, et qu'il ne pouvait rien faire. Oh, il aurait pu le tirer, à bout portant, mais il perdait ainsi la chance de retracer rapidement tous ses complices. Une organisation pareille, qui monopolisait autant de gens seulement pour le faire chier, lui, et lui seul, devait compter au moins une bonne centaine de membres. Specteur avait l'intention de les buter, chacun leur tour, dans la gueule. Il réfléchit tout en caressant le bout de son canon et, soudain, son toupet remonta de cinq centimètres. Ça y était ! Son idée était faite. Il savait comment coincer cette bande de trouducs, mais cela impliquait qu'il laissât filer l'infirme pour l'instant.

— Messieurs, dit-il avec une politesse qu'il ne se connaissait pas, je vous prie d'accepter toutes mes excuses.

Ré et Zirprus échangèrent des signes d'incompréhension. Specteur enchaîna :

— Je suis fatigué ces temps-ci... Je mène présentement une enquête qui me mine le moral et qui me donne envie de tout laisser tomber. C'est pourquoi j'ai été un peu agressif et, encore une fois, je vous demande de m'excuser. Le métier que j'exerce n'est pas un métier facile.

— On le sait bien, dit l'infirme, qui croyait avoir dupé l'inspecteur.

— Ce que j'attends de vous, enchaîna Spec, ce n'est pas de la pitié, mais plutôt de la compréhension. Encore une fois, pardon. Et pour me racheter, je propose de ramener monsieur Reuthkeps chez lui dans ma rutilante Renault 5 !

Zirprus fut pris par surprise et balbutia :

— Oh non ! Non, non ! Non, ce n'est pas la peine, merci, vous êtes vraiment trop aimable. Je ne vais pas très loin et j'aime rouler quand il fait beau.

— Comme vous voudrez.

Cette résignation spontanée réjouit Zirprus, qui n'avait nullement envie de se retrouver seul à seul avec l'inspecteur Specteur.

— Vous me permettrez au moins de vous aider à franchir cette foutue porte ! proposa Specteur avec cette galanterie qu'il réservait aux handicapés.

— Heu... Oui. Oui, bien sûr ! fit Zirprus qui ne voyait rien de mal là-dedans.

— Je reconnais là mon bon vieux Spec ! ricana Ré.

Specteur poussa Zirprus jusqu'à la porte. Ré, qui les précédait, ouvrit et leur céda le passage. Le cadre de la porte était trop étroit. Spec avait beau essayé différentes manœuvres, il n'arrivait pas à pousser la chaise à l'extérieur.

— Les sacs ! Les sacs ! criait Ré.

— Quoi, les sacs ?

— Les sacs en cuir, attachés de chaque côté de la chaise ! Il faut les ramener vers l'intérieur ! C'est ce qui l'empêche de passer !

Ré avait raison. Specteur poussa sur les sacs et la chaise sortit comme un bébé aux forceps. Une fois à l'extérieur, Zirprus actionna le moteur électrique et fit demi-tour.

— Merci beaucoup, dit-il. Je suis ravi d'avoir fait votre connaissance.

— Il en va de même pour moi, monsieur Reuthkeps.

— Au revoir, Ré ! À notre prochaine partie !

— J'en rêve déjà !

Ré et Specteur observèrent la chaise roulante descendre la rue, puis rentrèrent.

— J'ai reçu de la nouvelle poudre, s'exclama Ré. Elle est trop ! ! ! T'en veux un peu ?

— Sans façon…

L'infirme était maintenant rendu à l'angle de Gradujet et Belantarce. Specteur le savait. Il en était même certain. Sa bague était dans le sac de droite.

VINGT

Ré ne comprenait plus rien. Alors qu'il s'apprêtait à renifler son nouvel arrivage, Specteur l'avait tiré à l'extérieur et entraîné jusqu'à un terrain vague en le priant, une main ferme sur sa bouche, de se taire. Une fois sur place, Spec le laissa respirer.

— T'es cinglé ou quoi ? T'aurais pu m'étouffer !

— Ta piaule est bourrée de micros.

— Qu'est-ce que tu me chantes là ?

— On m'a remis une cassette où on nous entend discuter tous les deux…

— Ma foi ! Ça n'a aucun sens !

— C'est vrai que ta foi n'a aucun sens.

Après cette boutade colossale, Spec le mit au parfum. Curieusement, Ré n'accrocha pas à l'épisode de l'oreille coupée et au petit séjour en taule de Specteur. C'était plutôt l'enregistrement et le numéro de la boîte aux lettres qui le turlupinaient.

— Je comprends ton désintérêt pour la vidéo amateur, fit Specteur. Tu te dis que ça va de soi puisque

Geminus, de par son nom et ses souliers du même pied, annonçait la venue d'un jumeau.

— Et voilà !

— Mais tout cela était très maladroit ! Les assassins savaient très bien que je m'en sortirais au bout de quelques heures. La vidéo, l'oreille, tout cela ne prouvait rien du tout.

— Non, mais il était probablement nécessaire pour eux de commettre ce petit délit qui te blanchirait rapidement. Ils s'assurent ainsi que tu seras libre et au poste quand ils décideront de donner le grand coup.

— Quel grand coup ?

— Je ne sais pas, moi ! J'avance des hypothèses, c'est tout ! fulmina le curé.

— Bon, bon, ça va ! Saigne pas du nez, mon vieux, j'ai compris ! Je vais te la remplacer ta putain de coco !

Le prêtre eut un petit rire nerveux et baissa les yeux. Specteur sortit son calepin et analysa de nouveau le numéro de la boîte aux lettres. 2X20-15-9.

— Fais voir, dit Ré.

Il observa longuement le numéro suspect en tournant le calepin dans tous les sens.

— En tout cas, c'est pas un numéro de téléphone.

— Je sais, laissa tomber Specteur, les numéros de téléphone ont huit...

Ses yeux devinrent soudain aussi immenses que ceux du Grand Nain.

— Quoi ? Qu'est-ce qu'y a ? demanda Ré.

— Si ! C'est un numéro de téléphone ! 21-02-01-59.

— Comment ça ?

— Le « X », c'est « dix » en chiffres romains, non ?

Le prêtre eut un moment d'extase.

— T'es brillant, Spec ! T'es mon héros !

Le brillant héros exhiba fièrement son portable et composa le numéro. Il plaça le téléphone entre son oreille et celle de Ré et les deux hommes observèrent ce qu'il fallait observer, c'est-à-dire, le silence.

Une seule sonnerie se fit entendre. Il y eut un déclic et un charmant petit message enregistré leur égratigna les tympans :

— *Mauvaise piste ! Hi ! Hi ! Hi ! Hi ! Mauvaise piste ! Hi ! Hi ! Hi ! Mauvaise piste ! Hi ! Hi ! Hi ! Mauvaise piste ! Hi ! Hi ! Hi !*

Specteur allait projeter son téléphone dans la stratosphère quand il fut interpellé.

— Toutes mes excuses, mes bons messieurs.

Il se retourna et aperçut la moitié de quelqu'un. Ré, qui n'avait jamais vu un cul-de-jatte en chair et en voiturette, se signa. Le tronc humain fit de même et entama sa requête sous la forme d'une comptine. Il avait la main tendue.

— Un petit friand pour une petite histoire, s'il vous plaît ! Un petit friand pour une petite histoire, s'il vous plaît !

C'était un homme qu'on eût trouvé physiquement normal si on l'avait vu à travers la vitre d'un bus. On avait l'impression qu'il ne s'agissait là que d'une erreur temporaire et que sa douce moitié l'attendait à la maison. Il avait une gueule d'acteur : mâchoire carrée, hirsute, regard troublant, pectoraux bien découpés... Il faut dire que quiconque doit se déplacer avec ses mains a forcément le torse plus développé que vous et moi. Enfin, surtout vous.

Une vieille couverture entourait son corps là où il finissait. Il était donc impossible de voir si le cul-de-jatte avait de quoi enfiler le cul de Jeanne.

La demi-mesure continuait à tendre la main en regardant les deux hommes du haut de ses trois pommes.

— Un petit friand pour une petite histoire, s'il vous plaît ! Un petit friand pour une petite histoire, s'il vous plaît !

Specteur eut un petit rire hautain et moqueur.

— Mais quelle sorte d'histoire ? demanda-t-il. Une histoire grivoise, au moins ?

— Spec, j't'en prie ! s'insurgea Ré. Donnons-lui chacun un friand, ce qui n'est pas la fin du monde, et laissons-lui sa dignité !

— Bon, bon...

Ils sortirent leur monnaie et payèrent le pauvre bougre.

— Merci ! Merci beaucoup ! dit-il en fourrant l'argent dans un sac au fond de sa voiturette.

Il était maintenant tout sourire, révélant l'absence d'une canine.

— Bon, alors, ça vient cette histoire !

— Spec !

Le conteur se prépara. Il passa un foulard autour de son cou, leva le bras et commença :

— Il était une fois. Il était une fois.

Sur ce, il tourna le tronc et s'en alla. Specteur, les mains dans les poches, le regardait s'éloigner.

— Qu'est-ce que c'est que ce clown ?

— Faut lui pardonner, il est un peu dérangé, je crois.

— Il peut se compter chanceux de ne pas en avoir, sinon je lui aurais mis mon pied au cul !

Les deux comparses retournèrent lentement vers le presbytère en donnant des coups de pied aux cailloux.

— Il était une fois, il était une fois..., grognait Specteur. Cet imbécile n'avait qu'à dire « Il était deux fois » et tout le monde aurait sauvé deux secondes.

Le prêtre stoppa.

— Qu'est-ce que tu viens de dire ? interrogea-t-il, surexcité.

— Je dis qu'il n'avait qu'à dire « Il était deux fois » et tout...

— Donne-moi ton calepin ! coupa-t-il.

Spec le lui tendit en fronçant les sourcils.

— Regarde ! fit le prêtre. 2X20-15-9.

— Oui, mais encore ?

— Le « X », c'est pas « dix », c'est « fois ». Deux fois !

— Il était une fois... Il était une fois... Deux fois... C'était encore un putain d'indice !

— Hé oui !

Specteur se retourna en vitesse et scruta l'horizon.

— Naturellement, ce salaud de cul-de-jatte a déjà disparu !

Ré marmonnait :

— Deux fois vingt... moins quinze... moins neuf... égale seize !

— Ha ! Seize ! ricana Specteur. La belle affaire ! Seize quoi ? Seize Belges pour changer une ampoule ?

— Arrête un peu ! J'essaie de trouver une réponse à tout cela !

Un petit caillou bien frappé percuta un panneau de circulation. Specteur se concentra pendant quelques secondes.

— Ça y est ! cria-t-il.

— Quoi ? Quoi ?

— Ton partenaire de poker est arrivé à destination.

— Monsieur Zirprus ?

— Monsieur qui ? demanda Specteur, confus. Il ne s'appelait pas Reuthkeps ?

— Heu... Non, pas vraiment... Il s'appelle Aoumess Zirprus.

La rage écarta les trous de nez de Specteur.

— C'est quoi, cette connerie ? Il me ment en plein visage et tu ne dis rien ?

— Bien... j'ai cru qu'il avait emprunté ce pseudonyme pour éviter que sa femme apprenne qu'il trempait encore dans ce genre de vice.

— Bon, tant pis ! Allons tout de même dire deux mots à ce fils de pute difforme !

L'inspecteur Specteur avait beau savoir où se trouvait sa bague, il avait quand même la sensation qu'il était en train de se faire rouler. Il pensait intensivement à la bague, mais il n'arrivait pas à voir clairement l'endroit où elle se trouvait. C'était comme si Zirprus était enfermé dans une chambre noire.

Quelques minutes plus tard, Specteur s'arrêta et descendit de la Renault 5 à toute vitesse. Ré le rejoignit sans se précipiter. Il sentait la soupe chaude.

— Il est ici quelque part, fit Specteur.

Le prêtre était fort angoissé.

— Mais… Mais nous sommes en plein milieu de la rue !

— Je sais… *Media urbs*…

— Cela ne me dit rien qui vaille, murmura Ré en tremblotant. Allons-nous-en !

Specteur recula d'un pas et baissa la tête vers le sol. Les autos passaient à fond de train de chaque côté de ses oreilles. Le curé s'énervait.

— Qu'est-ce que tu fais ? Qu'est-ce que tu regardes, Spec ?

L'inspecteur avait les yeux rivés sur une bouche d'égout.

— Ah le salaud…, grommela-t-il en serrant les poings.

— Quoi ?

— Il a jeté ma bague dans ce trou à merde…

Comme il avait envie d'aller patauger dans les égouts pour récupérer son précieux bijou ! Enfin, qui sait ? Avec un peu de chance, il allait peut-être croiser un pote de Satan.

VINGT ET UN

La cassette audio n'avait mené à rien. Par contre, le secret du numéro de la boîte aux lettres avait été décrypté. C'est dans l'hôtel du Grand Nain que Specteur avait eu la réponse. Ré et lui avaient décidé d'y établir leur quartier général, à l'abri des oreilles indiscrètes, le temps que cette enquête se termine.

Au moment de s'enregistrer à la réception, Ré avait cru bon d'attendre au bar, pour éviter les racontars. Il en avait profité pour se poudrer le nez et avait commandé quatre pots afin de contrecarrer les effets surexcitants de la coupe. Quand Specteur revint avec les clés, le prêtre discutait avec un jeune couple qui jouait au Scrabble. Il assommait les pauvres tourtereaux de ses théories sur les bienfaits du mariage, de l'abstinence, de la fidélité...

— Arrête de leur casser les oreilles avec tes histoires de grand-mère, tu vas leur enlever le goût de baiser !

La jeune fille rougit, d'autant plus qu'elle venait de faire un Scrabble avec le mot « BRANLER ». Specteur la regarda aligner les lettres et remarqua les petits chiffres qui désignaient la valeur de chacune d'entre elles. Le « A » attira son attention.

— Ré !

— Quoi ?

— Viens, il faut que je te parle.

— Attends, je suis sur le point de les convaincre !

— Tout ce que tu risques de faire, si tu continues, c'est de les convaincre de mettre le feu à la prochaine église qu'ils croiseront !

Les jeunes amoureux s'esclaffèrent et le prêtre se résigna à suivre Specteur. Ils montèrent à la chambre. Ré déposa les deux pots qu'il lui restait sur la commode. Spec sortit son calepin et griffonna. De temps à autre, il s'arrêtait et calculait sur ses doigts.

— Qu'est-ce que tu fabriques ?

— Attends, j'ai presque fini...

Il termina enfin et lui tendit le calepin. Ré se donna une tape sur le front.

— Nom de Dieu ! Mais c'est ça ! 2 X T-O-I. Deux fois toi ! Comment t'as trouvé ?

— C'est simple. Pendant que la jeune fille plaçait les lettres de son Scrabble, j'ai calculé les points qu'elle faisait. Le « A » valait un point et ce petit « 1 », inscrit au bas du jeton, correspondait également à sa position dans l'alphabet. Je me suis dit : « A » égale « 1 ». Pourquoi « B » n'égale-t-il pas « 2 » ? Et « C », « 3 » ? Et ainsi de suite ? » C'est là que, paf ! ! ! la solution au numéro de la boîte aux lettres m'a fouetté les méninges !

— Ha ! Ha ! T'es futé, mon vieux, vraiment futé !

— Peut-être, mais ça ne nous avance guère...

— Comment ça ?

— Ce n'est rien de plus que l'histoire de Geminus, jumeau, les souliers...

— C'est vrai... Mais c'est quand même curieux

qu'on s'obstine à te dire la même chose d'autant de façons différentes.

— En effet, c'est curieux. Je crois qu'on s'amuse tout simplement avec notre matière grise. Il vaudrait mieux se rabattre sur la cassette maintenant.

— Bonne idée !

— Elle est restée dans la voiture, dit Spec. Je vais la chercher.

— Je t'attends ici.

L'inspecteur Specteur marcha jusqu'à l'ascenseur en remuant les yeux qu'il avait tout le tour de la tête. Tout était normal et personne ne semblait le suivre. L'ascenseur fit un arrêt au vingtième étage.

« J'ai pas appuyé sur ce bouton, moi, marmonna-t-il. Pourquoi est-ce que ce putain de… »

Les portes coulissèrent et Specteur aperçut le poster géant d'une femme nue, cuisses et bouche ouvertes. Il retint la porte et lut le texte écrit entre les jambes du canon.

CHEZ MADAME LULU
CONFIEZ-NOUS VOTRE SEXE
NOUS LE METTRONS EN LIEU SÛR

Le vingtième étage correspondait au pénis du Grand Nain. Il recelait le plus grand et le plus chic bordel du centre-ville. Les propriétaires avaient dû payer cher pour que l'ascenseur y fasse un arrêt obligatoire. Specteur en avait souvent entendu parler, mais n'y avait jamais pris son pied. Il sortit et les portes se refermèrent derrière lui. La cassette pouvait bien attendre quelques minutes.

Les flèches ne demandaient qu'à être suivies. Specteur le fit avec plaisir. À droite au bout du corridor, une porte en or massif, dans laquelle était sculptée une splendide paire de seins, invitait le client à pousser à deux mains. Specteur poussa sur la porte et dans son slip. L'effort en valait la peine.

L'antichambre était garnie de sculptures, toutes plus érotiques les unes que les autres. Au fond de la pièce, en face de lui, une reproduction du poster, qu'il avait vu plus tôt devant les portes de l'ascenseur, faisait office de rideau. Il était taillé, à la verticale, en multiples languettes.

Specteur entendit les voix de nombreuses femmes qui discutaient. Il frictionna son courage et fonça. D'une main moite, il écarta les languettes et traversa le rideau-poster.

De l'autre côté, une soixantaine de femmes nues parlaient de philosophie, de littérature, de la pluie et du beau temps. Elles étaient si occupées à palabrer qu'elles ne prêtèrent même pas attention au pauvre Specteur. Heureusement pour lui, une jeune et jolie hôtesse vint à sa rescousse.

— Bonsoir, monsieur, c'est pour un « Toutes pour un » ?

Specteur avait chaud et bégaya un peu.

— Eh ben… ben… be… C'est-à-dire que… que…

— Allons, détendez-vous et laissez-moi vous expliquer. Vous êtes ici dans la pièce « Toutes pour un ». Ce qui signifie que toutes les filles sont à vous.

— *Villa abundat gallina !* fit Spec.

— Maintenant, si vous désirez un « Une à un », c'est à gauche en sortant et le « Deux à un », c'est à droite…

Non, il ne rêvait pas. Elle avait bien dit ce qu'il l'avait entendu dire. La cassette pouvait franchement attendre encore quelques minutes.

— Je… Je vais prendre le « Toutes pour un »… s'il vous plaît.

— Parfait ! Ce sera cinquante mille friands, je vous prie, payables d'avance.

— Vous heu… vous prenez les cartes de crédit ?

— Mais, bien sûr, mon agneau.

L'inspecteur Specteur régla en vitesse et la partouze put commencer.

Il me serait impossible de décrire ici tout ce par quoi notre héros est passé. Il y avait tant de courbes, de clivages, d'orifices et de poignées, qu'il ne savait plus où donner de la tête et de la verge. Les temps morts n'existaient pas. Il n'avait pas aussitôt ramolli qu'une dizaine de galanteries manuelles et buccales le ravivaient. Son sexe semblait à l'abri de la gravité. « Putain, pensait-il, si ça continue comme ça, je vais me retrouver avec de la corne su'l'pontife ! » Spec était si bien entouré qu'il ne pouvait dire à quel visage appartenait telle main, telle jambe, tel sexe... C'était le chaos charnel ! Il regrettait de ne pas être une pieuvre.

Au bout d'une heure, les filles reprirent leur place respective et se remirent à discuter comme si de rien n'était. Quant à Specteur, il resta là, nu, étendu par terre, attendant la prochaine cuvée.

— C'est terminé, monsieur ! lança l'hôtesse qui l'avait accueilli.

Specteur se releva au ralenti et étendit les bras afin de retrouver son équilibre.

— Ça vous a plu ?

— Oh que si !

— Tant mieux ! Vos vêtements sont dans cette cabine. Je vous attends ici.

Il se rhabilla et vint retrouver l'hôtesse.

— Nous vous remercions d'avoir choisi madame Lulu.

— Oh... c'est moi qui...

— Laissez-moi vous escorter jusqu'à la sortie, cher monsieur.

Elle fit un pas et Specteur resta sur place.

— Quelque chose ne va pas ? s'enquit-elle.

— Heu non, ou plutôt si !

— Je vous écoute.

— Eh bien, voilà. Pendant que j'étais là par terre, tout à l'heure, je vous ai observée et vous m'observiez vous aussi.

Elle acquiesça.

— Vous ne vous êtes pourtant jamais jointe au groupe. Pourquoi ?

— C'est que ce n'est pas mon travail, monsieur.

— Ah bon…

Il allait partir mais se ravisa.

— Quand même… *Ad perpetuam rei memoriam.* Vous me feriez pas une petite pipe avant de partir ?

— Ce sera cinq cents friands.

Repu, l'inspecteur Specteur quitta le bordel et descendit jusqu'au stationnement. Ses jambes étaient molles comme les babines d'un saint-bernard. Il approchait de sa Renault 5 quand il vit une silhouette qui en sortait. Tel un sprinter à la retraite depuis vingt ans, il se mit à courir et le bruit de ses talons sur le béton fit bientôt déguerpir le violeur de bagnoles. Bien décidé à mettre la main au collet de ce petit truand, Specteur continua sa poursuite. Il aurait pu faire feu dans sa direction, mais il ne voulait pas le tuer. Il voulait torturer l'enfant de salaud qui osait fouiner dans la caisse de l'inspecteur Specteur.

À la sortie du stationnement, le voyou enjamba un terre-plein et s'enfonça dans une ruelle sombre et humide. Puis une autre… et une autre… et une autre… Oh qu'il faisait laid et sale dans ces recoins de la ville où grouillaient toutes les sortes de vermines susceptibles de survivre à une guerre nucléaire.

L'intrus courait vite, mais l'inspecteur avait réussi à ne pas augmenter la distance qui les séparait. L'important, pour lui, était de ne pas le perdre de vue. Il devait donc garder la cadence. La mollesse de ses jambes s'était réfugiée dans son slip. Son cœur avait atteint un rythme techno-pop et ses aisselles pleuraient sous l'effort. « Pourquoi les femmes s'obstinent-elles à déclarer que les beaux garçons ne courent pas les rues ? » songea-t-il.

Au tournant d'une nouvelle ruelle, une flaque d'eau boueuse fit patiner le fugitif, ce qui permit à Specteur de gagner du terrain. Beudlang ! La pancarte sur laquelle il venait de poser le pied indiquait un cul-de-sac. « Je te tiens, sale putois », murmura Specteur. Peu de temps après, le voyou se heurta à un mur de brique. Specteur était presque sur lui lorsque, à la dernière seconde, l'énergie du desperado poussa le fuyard vers une échelle. Spec l'agrippa par une jambe de pantalon. Il tirait, tirait, mais l'autre tenait bon. Le quidam tourna la tête et, fixant son poursuivant, lui administra un majestueux coup de talon entre les deux yeux. En temps normal, Specteur l'eût facilement évité. Mais le visage qu'il venait de voir dans cette échelle l'avait tout simplement paralysé. Il était là, le cul par terre, l'œil rouge, à regarder s'enfuir cette incroyable créature. Il n'en revenait pas. L'inspecteur Specteur venait d'être frappé par l'inspecteur Specteur.

VINGT-DEUX

— Où t'étais ! ! ? Ça fait déjà trois heures que t'es parti ! La poudre est dans le coffret de sûreté et c'est toi qui en as la clé ! Je commençais sérieusement à m'inquiéter !

Specteur sortit de l'ombre et s'avança vers Ré.

— Ton œil ! ! ! C'est comme sur l'affiche de Geminus ! T'as l'œil noir, Spec ! Qu'est-ce qu'y t'est arrivé, vieux ?

Sans dire un mot, Specteur s'assit sur le rebord du lit et fixa le vide, le regard défunt.

— Mais, parle-moi ! Dis-moi ce qui s'est passé !

L'œil meurtri se tourna vers le curé et confessa :

— Je me suis donné un coup de pied au visage...

Ré eut un éclat de rire contenu.

— Allons, c'est pas le moment de raconter des connerie ! Qui c'est le salaud qui t'a frappé ?

— Qu'est-ce que ça peut te faire ? demanda Specteur. De toute façon, tu vas lui pardonner...

— Non, pas à lui ! S'il se confesse, peut-être, mais bon... pour l'instant, je n'ai aucune envie de pardon !

Specteur resta stoïque.

— Alors ? Qui c'est ?

— Je viens de te le dire... Tu ne m'écoutes pas ?

— Si ! Mais je ne comprends rien à ce que tu racontes !

Spec lui relata finalement toute l'histoire de la poursuite et conserva l'épisode de Chez madame Lulu pour ses vieux jours. Ré était subjugué. Il faisait signe de croix après signe de croix.

— Tu vas arrêter ces simagrées, dis ! ! ? Tu veux que je prenne feu, ou quoi ?

— Pardonne-moi, Spec... Mais tout ça me met à l'envers... T'aurais pas la clé du coffret de sûreté, par hasard ?

Quand Ré revint avec sa poche de farine, Specteur tenait un sac de glace sur son œil. Le prêtre aligna une partie de son péché sur la commode. Il se moucha comme il faut puis se pencha. D'une narine vaillante, il prisa la ligne.

— Qu'est-ce que t'as à me regarder comme ça, Spec ?

— *Nulla dies sine linea...*

Pendant l'absence du curé, Specteur en avait profité pour étaler sur le lit tout ce qui était matière à indices. La cassette, les chaussures, le dépliant de Geminus, le numéro de la boîte aux lettres et la lettre de « D.L. » Il avait lu et relu cette dernière. Son attention s'était fixée sur une phrase en particulier qu'il avait encerclée. Il en fit part à Ré.

— Jette un coup d'œil là-dessus. Dès le départ, ce putain de « D.L. » m'avait clairement annoncé ce qu'il en serait.

Ré lut.

Le tout vous semblera plutôt labyrinthique, mais je n'ai aucune crainte ; vous vous y retrouverez.

C'était en plein ce qui s'était produit au fond de la ruelle. Specteur s'était retrouvé.

— Ces indices nous ont pratiquement tous craché des réponses retardataires. Il ne reste que cette cassette merdique !

— Et le môme qui vieillit sur les affiches ? interrogea Ré.

— C'était probablement la façon qu'avait choisie le meurtrier pour exprimer que l'enquête prenait du temps à aboutir. Ou qu'elle mûrissait... que je m'approchais du but... Je ne sais pas...

Ré était loin d'être convaincu.

— Et si on écoutait cette cassette ? proposa-t-il.

— Y a pas de lecteur ici...

— Bon, qu'est-ce qu'on fait alors ?

— Il faut redescendre à la bagnole !

Après la petite altercation avec son alter ego, Spec était rentré directement à l'hôtel, sans passer par sa voiture. « La portière doit être encore ouverte », pensa-t-il. En effet, tout était resté comme son autre lui-même l'avait laissé. Curieusement, il ne manquait rien et rien ne semblait avoir été rajouté. Les deux hommes montèrent à bord de la chic Renault. Spec allait mettre le contact mais s'arrêta.

— Qu'est-ce qu'y a ? fit Ré.

— Rien. Je me disais seulement que j'avais peut-être eu le temps de placer une bombe avant de me surprendre.

Il descendit de voiture et souleva le capot. Rien. Pas un fil ne dépassait. Rien non plus sous le véhicule. Il remonta dans sa bagnole, rassuré.

— On ne sait jamais, murmura-t-il en tournant la clé.

Une triple déflagration, à faire sursauter le Grand Nain, retentit derrière eux. Leur deuxième voisine de cul venait de sauter et flambait comme un rot de Satan. La fumée se répandit rapidement. Specteur décolla avant de mourir d'un cancer du poumon. Ré tremblait et gémissait. Il rassembla ses esprits et demanda :

— Selon toi, c'était un avertissement ?

— Non. C'était une explosion.

À peine ébranlé, Spec enfonça la cassette dans le lecteur.

— *Il faut décortiquer les données. Données littéraires...*

— *La phrase.*

— *Données visuelles...*

— *Le gosse, l'œil, le panneau-réclame... le casque de militaire trop grand... casque de militaire trop grand... casque de militaire trop grand... casque de militaire trop grand...*

Ils roulaient sans rien dire depuis près de dix minutes, en écoutant ce bout de phrase qui se répétait à la façon d'un vieux disque qui accroche. Specteur éjecta la cassette.

— Il faut que je rembobine ma mémoire, dit-il.

— Pour trouver quoi ?

— Si la lettre de « D.L. » me révélait dès le début que j'allais me rencontrer, il y a sûrement d'autres révélations qui m'ont échappé.

Le prêtre réfléchit.

— Oui, dit-il, l'exécution amenée par le fameux « PELOTON », par exemple.

— Il y a sûrement autre chose, fit Specteur en faisant danser ses doigts sur le volant. On dirait qu'on cherche toujours à nous ramener à la case départ.

— On retourne à la boîte aux lettres ?

— On retourne à la boîte aux lettres !

Arrivé sur les lieux, Specteur essaya de se rappeler la position de l'index au moment de sa découverte. Peut-être pointait-il quelque chose en particulier ? Il ferma les yeux et reconstitua la scène. Au bout d'un moment, il s'écria :

— Ça y est, je me souviens ! Il pointait dans cette direction !

À l'endroit désigné se trouvait un building dont le toit était orné de deux oreilles de chats. Il s'agissait en réalité de deux immenses pyramides plaquées de capteurs solaires. L'énergie ainsi captée servait à alimenter en électricité une petite partie de l'édifice. C'était très expérimental. Ce building abritait divers bureaux. On y trouvait des comptables, gérants d'artistes, avocats, notaires, etc. Il n'y avait rien là qui collait, de près ou de loin, à l'enquête.

Specteur plaça ses yeux dans la véritable perspective du doigt, à la hauteur de la trappe de la boîte aux lettres, là où se trouvait précisément l'index. Une nouvelle donnée apparaissait entre les deux oreilles. Quatre petites taches blanches étaient perceptibles au loin, dans les draps du ciel. Quatre étoiles alignées. Le doigt pointait peut-être ces quatre points lumineux, mais que représentaient-ils ?

— T'as des jumelles ?

— Non, désolé, répondit Ré, déçu de ne pouvoir aider son idole.

— Attends-moi ici, je vais en chercher. J'en ai pour cinq minutes.

— Ouais, ouais ! J'te connais ! Tu vas revenir au bout de trois heures avec l'autre œil bousillé !

— Non, j't'assure. Je reviens sain et sauf.

La Renault 5 s'éloigna à toute vitesse et le son du moteur la poursuivit dans un decrescendo de pétarades chétives. Une horde de criquets donnait le rythme à une mélodie entonnée par un néon intermittent. Ré tournait en rond et en carré autour de la boîte aux lettres en tripotant son chapelet.

À peine deux minutes plus tard, Spec était de retour. Il descendit de sa bagnole et s'avança vers Ré. Un large sourire lui sciait le visage.

— T'as les jumelles ? demanda le prêtre.

Spec ne répondit pas et se contenta de tirer les commissures plus loin vers l'arrière.

— Ha ! Ha ! Ha ! Ce que t'es drôle, Spec ! À te voir sourire comme ça, on dirait que tu viens de trouver toutes les solutions à tous les problèmes du monde !

Specteur cracha un rire tellement sale et forcé qu'il avait l'air de provenir d'une rate usagée. Il commença par se taper sur les cuisses puis enchaîna sur la gueule de Ré. Le prêtre fit trois pas de danse à reculons.

— Hé ! T'es malade ou quoi ! ! ! ?

À la vue de la semelle qui s'élançait à cent kilomètres heure vers son visage, Ré comprit que ce type n'était pas son bon vieux Specteur. Il se protégea le nez du mieux qu'il put et reçut le pied en plein front. Ré tomba pour la troisième fois. Le sosie le traîna par les cheveux jusqu'à la voiture et le jeta sur la banquette arrière. Il décolla en douce en prenant soin de respecter la limite de vitesse.

Le vrai Specteur croisa son sosie mécanique et corporel sans y accorder la moindre attention. Il appuya à fond sur la pédale du frein et s'arrêta à deux millimètres de la boîte aux lettres. Les jumelles autour du cou, il descendit en criant le nom du prêtre. Aucune réponse. « Ce putain de toxico est encore allé se cacher pour se bourrer le pif ! » pensa-t-il. « Tant pis ! » Il s'installa près de la boîte et mira en direction des taches blanches. La mise au foyer se fit sans peine et les taches floues devinrent des lettres. Quatre lettres : C.M.T.G. L'inspecteur Specteur se redressa plus vite qu'une catapulte.

— Ré ! Ré, j'ai trouvé ! Ré ! ! !

— Criiiiiiiiiic ! répondit un criquet.

Spec s'assit par terre en attendant le prêtre et savoura sa découverte.

— C.M.T.G., murmura-t-il. Casque Militaire Trop Grand…

VINGT-TROIS

Mademoiselle Zelle se réveilla en sueurs froides. Elle avait les doigts et les orteils engourdis. Autour d'elle, quatre murs blancs dont un garni de tablettes et de coffrets. Naturellement, la porte de béton armé jusqu'aux dents était verrouillée, sans quoi Zelle eût pu sortir, prendre un taxi jusqu'au bistro le plus proche et siroter un whisky avec des copains de longue date ou de parfaits inconnus, voire, des animaux domestiques, mais ça, ce serait une autre histoire.

Elle était prisonnière. Au mur à côté de la porte, un thermomètre indiquait moins cinq degré Celsius.

— Moins cinq... Je vais vieillir moins vite, dit-elle tout haut pour se donner l'impression de ne pas être seule.

La pièce était sombre. Seule une petite fenêtre qui donnait sur un long corridor blanc permettait à Zelle de ne pas se marcher sur les pieds[1]. Son attention fut attirée par une petite lumière rouge qui clignotait au

---

1. En réalité, elle marchait sur ses chaussures.

plafond. Elle l'observa un moment et la lumière s'éteignit. Pour calmer ses doigts qui réclamaient un recoin où la chair est chaude, elle plongea les mains dans son slip. La petite lumière rouge se ralluma. « Sans doute un détecteur de mouvement », se dit-elle.

Quelqu'un approchait. Malgré la cloison, Zelle distinguait le pas ferme et régulier du visiteur. Ce devait être un homme. Les pas s'arrêtèrent. La porte s'ouvrit et une douce chaleur embrassa Zelle sur les joues. Un homme en complet-cravate pénétra dans le frigo. Distingué, carré, pommettes saillantes, nez légèrement cléopâtré, yeux bleus, cheveux châtains aux épaules, lèvres fines et sensuelles : il était beau comme un dieu. On eût dit Louis de Funès en cent mille fois mieux. Il sourit.

— Qu'est-ce que vous me voulez ? demanda Zelle, sèchement.

— Mon Dieu, mais quel accueil !

— Aussi froid que cette pièce, rétorqua-t-elle du tac au tac.

— Vous me jugez plutôt rapidement.

Il avait beau prendre sa voix du dimanche, vingt-trois heures quinze, sur l'oreiller, après orgasme, Zelle restait aussi chaleureuse qu'une Suédoise empaillée.

— J'ignore qui vous êtes, mais z'avez sûrement pas inventé la loyauté.

Le beau monsieur se contenta de sourire et de ciller en douceur. Zelle enchaîna :

— J'ai fait exactement c'que vous m'aviez demandé, dans les temps exigés et, non seulement vous avez repris le fric, mais vous osez me garder prisonnière dans un putain d'igloo !

Le bellâtre joignit les pieds et les mains et prit une profonde respiration.

— C'est que j'ai besoin de vous, mademoiselle Zelle. De votre totalité. De votre entière totalité.

— Eh bien, moi, j'peux très bien me passer de vous pendant une bonne centaine d'années !

Le ravissant mec ne releva pas ces propos affectueux et se dirigea vers les coffrets. Il en ouvrit un et en sortit une éprouvette.

— C'est le fruit de votre travail, chère mademoiselle Zelle.

Elle ne répondit rien, ne fit rien et ne sourit rien.

— Allons, dépêchons-nous ! Il faut nous rendre au labo avant que ce précieux liquide ne se réchauffe.

Zelle fit faire deux tours à sa bague et le suivit sans mot dire en le maudissant. À la porte d'un ascenseur, la beauté sublime posa un doigt superbe sur un bouton ordinaire. La porte coulissa.

— Je vous en prie.

Zelle pénétra et le séduisant canon la suivit. Ils montèrent jusqu'au trente-troisième étage. À la sortie, il y avait, droit devant, une autre porte. Le beau mâle l'ouvrit.

— Un autre ascenseur ? questionna Zelle.

— Pas vraiment. Appuyez-vous contre le mur et vous comprendrez.

Il pressa un bouton et la cage se déplaça sur la droite, à l'horizontale.

— Il s'agit d'une C.D.H., cage à déplacement horizontal.

— Comme c'est romantique, ironisa-t-elle en forçant un sourire.

Quelques secondes plus tard, la porte s'ouvrit sur un laboratoire hyper sophistiqué. Des cris courts, secs et aigus bondissaient d'un mur à l'autre. Le distingué Toto, le pantalon par terre, la veste de majordome remontée par-dessus la tête, était grimpé sur une femelle synthétique transparente, parfumée à bloc de phéromones sexuelles, et travaillait ses abdominaux. Un large réservoir, à l'intérieur de la beauté plastique, était destiné à recueillir la semence du chimpanzé. À en juger par la quantité de liquide qu'il renfermait — il était presque plein — la libido de Toto était au plus haut.

Aoumess Zirprus vint à leur rencontre. Zelle le toisa de la tête aux roues.

— Mademoiselle a bien dormi ? persifla le handicapé.

— J't'emmerde, sale putain de pantin infirme !

Le joli monsieur s'interposa aussitôt.

— Allons, allons ! Qu'est-ce que c'est que ce langage ordurier ? Vous ignorez, mademoiselle, que monsieur Zirprus est l'un des plus éminents scientifiques que la terre ait jamais porté !

— M'en fous ! Y m'dégoûte !

— Bon, je comprends votre animosité et c'est pourquoi je vais passer l'éponge pour cette fois. Mais je vous prierais, à l'avenir, de bien vouloir surveiller votre langage.

— Y a qu'à pas me narguer !

Le superbe étalon se tourna vers l'infirme.

— Vous voulez bien faire attention à ce que vous allez dire à cette enfant, monsieur Zirprus ?

— Oui, oui, d'accord... Cela était très déplacé de ma part et j'espère que mademoiselle Zelle daignera me pardonner. Je la prie donc d'accepter mes excuses les plus sincères.

Zelle tourna la tête.

— Allons, très chère ! Ce n'est pas une façon de répondre à une intention aussi bienveillante !

Elle resta muette.

— Acceptez au moins les excuses de monsieur Zirprus !

Elle ne remua pas une molécule.

— J'insiste ! Mademoiselle Zelle, j'insiste énormém...

— Bon ! d'accord ! coupa-t-elle. Ça va ! Ça va ! D'accord ! D'accord ! D'accord !

Le savoureux pétard était satisfait.

— Bon ! Nous avons enfin retrouver les bonnes manières. On peut commencer, mon cher ami ?

— Mais, bien sûr, monsieur. Si vous voulez bien vous donner la peine de bien vouloir daigner me suivre…

Sa chaise pivota et il roula en direction d'un microscope bordé de deux gros ordinateurs.

— Vous voulez bien me tendre l'éprouvette, s'il vous plaît, monsieur ?

— Avec joie ! Tenez.

Zelle avait un bras replié sur son ventre, tapait nerveusement du pied et se rongeait les ongles.

— Faites-moi le plaisir de regarder dans ce microscope, monsieur.

Zirprus avait versé un peu de semence sur une plaquette de verre et l'avait placée sous la lentille grossissante du microscope.

— Cela semble parfait ! dit le top model.

— Oh, c'est plus que parfait, monsieur !

Il roula sur sa droite.

— Aïe ! ! !

Il venait de rouler sur le pied de Zelle.

— Pardon, mademoiselle.

Une boîte métallique, ornée de divers boutons et cadrans, était fixée sur un plateau centrifugeur. Zirprus ouvrit la porte de la boîte et versa quelques gouttes de sperme sur la paroi inférieure. Il referma et retourna à ses ordinateurs en morvant de plaisir.

— Monsieur Zirprus, me feriez-vous l'incommensurable plaisir de vous moucher, s'il vous plaît ?

— Pardon, monsieur, c'est que je suis très excité.

Il se vida le museau et appuya sur quelques touches. Le plateau centrifugeur s'activa, fit un million de tours en moins de quinze secondes, puis s'immobilisa. Zirprus tapa un code et appuya sur la touche « Retour ».

— Vous vous demandez sans doute ce qui se passe, chère mademoiselle Zelle, dit l'adonis.

— Exact. Moi et tous ces machins-trucs à boutons, c'est incompatible.

— Dans deux minutes très exactement, vous verrez tout ce dont ces « machins-trucs à boutons », comme vous dites, sont capables.

Zirprus surveillait attentivement les écrans de ses ordinateurs.

— Il va bientôt me falloir de l'insuline, dit mademoiselle Zelle.

— Ne vous en faites pas. On vous a donné une piqûre pendant que vous dormiez.

— Comment vous saviez ? fit Zelle, subjuguée.

— Je sais tout, ma chère, je sais tout.

Les deux minutes étaient déjà écoulées. C'est qu'ils avaient parlé très lentement.

— Voilà, c'est prêt ! lança Zirprus, fier, laid et souriant.

— Eh bien, voyons ce que ça donne.

L'infirme roula jusqu'à la machine et en ouvrit la porte. Au centre, en suspension dans le vide, une petite boule blanche tournait sur elle-même. Zirprus la prit dans sa main et la déposa dans un mouchoir. Zelle eut une moue déçue.

— C'est tout ce que votre machine peut faire ? lâcha-t-elle avec mépris. Je suis sûre qu'en me curant le nez bien comme il faut, je peux faire mieux.

— Ah ! Mademoiselle Zelle ! s'exclama le bel inconnu. Vous êtes si rustre, si vulgaire !

— J'suis juste pas épatée, c'est tout, rétorqua-t-elle.

— Je m'excuse d'interrompre votre discussion, mademoiselle et monsieur, mais il faut maintenant se rendre à la salle de…

— Tsss ! Tsss ! trancha le beau bonhomme, ne dites rien ! Allons-y plutôt.

Ils reprirent tous trois la C.D.H.

— Nous revenons sur nos pas ? demanda Zelle.

— Oui, mais nous passerons tout droit là où nous avons pris l'ascenseur. Nous devons nous rendre à l'autre extrémité du complexe.

Le reste du voyage se fit en silence. Une fois dans la salle, dont nous ne connaissons pas encore le nom parce que moooonsieur le beau gosse n'a pas eu la politesse de laisser monsieur Zirprus terminer sa phrase, Zelle constata, avec déception, qu'il ne s'agissait que d'une grande pièce vide. Un cercle rouge marquait cependant le centre du plancher.

— Pardonnez-moi, mais je vais avoir besoin de votre concours, monsieur.

— Avec le plus grand des plaisirs, mon cher monsieur Zirprus. De quelle façon pourrais-je vous être utile, mon ami ?

— Eh bien, voilà : depuis ma chaise roulante, je ne peux tendre le bras assez loin pour atteindre le sol...

— Continuez, je vous écoute.

— C'est que je dois absolument déposer la boule d'acide désoxyribonucléique par terre, au centre de ce cercle.

— Donnez-la-moi, je m'en charge ! Faites-moi confiance, vous verrez, vous ne serez pas déçu.

Zirprus ne fut pas déçu. Une fois la boule en place, l'infirme sortit une télécommande de sa poche, la pointa en direction du cercle et appuya sur une touche. Un grand cylindre de verre émergea du plancher. Un nouveau coup sur la télécommande fit passer la pièce au noir. Seul un mince trait de lumière traversait le cylindre sur sa longueur. Le silence était parfait. On aurait pu entendre une bactérie voler.

— Que le spectacle commence ! cria soudain la merveille de la nature.

La lumière se fit plus intense. Zelle sursauta. Les deux hommes fixaient intensément le cylindre. De longues secondes s'étiraient en platitudes. Zelle avait beau jeter de grands coups d'yeux sur la boule, rien ne semblait bouger. « Qu'est-ce que c'est que cette connerie ? se demanda-t-elle. Ces deux abrutis s'imaginent-ils que la bouboule a besoin d'une séance de bronzage ou quoi ? » Au moment où elle s'apprêtait à lancer un « À quoi ça rime, ce cirque de merde ? » ou quelque chose d'équivalent, la petite boule se mit à grossir. D'une bille, elle atteignit vite la taille et la forme d'un œuf. Elle ne cessait de croître. Le temps d'un clignement d'yeux, elle était déjà plus grosse qu'un ballon de rugby. Zelle se retourna pour poser une question au symbole sexuel et son regard se heurta à une paume parfaite qui lui faisait signe d'attendre. Lorsque ses yeux se posèrent de nouveau sur le cylindre, la chose avait quintuplé de volume. « Bordel de merde ! » pensa-t-elle, sans vraiment songer à un bordel rempli de merde.

Le bidule faisait maintenant au moins un mètre cinquante ou soixante et avait terminé sa croissance. Un frémissement parcourut sa surface et, de blanc, il passa à beige pâle. Puis, des taches noires et grises apparurent soudain sur le dessus de l'œuf. Zelle eut l'impression que quelque chose grouillait à l'intérieur. Il y eut un nouveau frémissement et des espèces de trayons jaillirent lentement de chaque côté et au bas du gros bidule ovale.

Un violent spasme le traversa et sa base se scinda en deux parties égales. Des milliers de points noirs infinitésimaux se mirent à poindre un peu partout sur sa surface, plus ou moins concentrés, selon l'endroit. Le sommet du gros œuf était maintenant garni de minces fils noirs et blancs. Un nouveau spasme, d'une violence inouïe cette fois, secoua ce qui semblait être devenu une masse organique. Alors que son centre s'amincissait, une boule poussa doucement au sommet.

— Ah la vache ! cria Zelle, abasourdie, c'est une tête ?

Deux « Chut ! » firent office de réponse. Effectivement, il s'agissait d'une tête. Les traits du visage prenaient lentement forme pendant que jambes et bras se développaient aussi. Des ongles poussaient au bout des trayons. Un minuscule pénis émergea là où les hommes et les femmes[1] l'ont la plupart du temps.

— Pauv' mec, songea Zelle.

Sa pitié fut plus courte que le vit qui atteignit vite des proportions qui lui rappelèrent quelqu'un. Les testicules suivirent, comme toujours.

Le corps du nouvel homme était presque parfaitement formé. Seul le visage nécessitait encore un peu de travail. Zelle le fixa et vit se dessiner, bouche, nez, menton, joues et, finalement, yeux. Il les ouvrit et son regard plongea aussitôt dans le sien. Zelle resta stupéfaite.

— Alors, qu'en pensez-vous, mademoiselle Zelle ? interrogea Éros.

— C'est... c'est... c'est l'inspecteur Specteur ! balbutia-t-elle.

— Malheureusement pour vous, non. Il s'agit d'un clone parfait.

— Mais... mais... comment avez-vous fait ?

Monsieur Zirprus lui expliqua toutes les étapes du processus de croissance accélérée du clone, dont je vous épargnerai les détails, sans quoi je risque fort de devoir utiliser des mots que je n'ai jamais vus, connus, ni entendus.

Le clone fixait toujours la pauvre Zelle.

— Mais pourquoi est-ce qu'y me regarde comme ça ?

— Oh c'est très simple, ma chère. Il est en conditionnement, c'est tout.

---

1. Il s'agit rarement du leur.

— En conditionnement ?

— Oui. Pendant que nous discutons tranquillement, des ultrasons lui communiquent toutes les données nécessaires afin de lui forger une personnalité, lui inculquer une certaine culture et lui attribuer des ambitions.

— Et je fais partie de ses ambitions ?

— Cela viendra plus tard.

— Pourquoi donc ?

Le clone poussa un cri de terreur et commença à haleter comme un asthmatique à l'issue d'un marathon. Il pleurait, reniflait, pissait, chiait, tapait des pieds et des poings.

— C'est le moment, monsieur ! ! ! s'écria Zirprus.

— Eh bien, procédez, mon cher ami.

— Qu'est-ce qui se passe ? demanda Zelle.

Zirprus posa un doigt sur la télécommande et un gaz envahit le cylindre. Le sosie de Specteur se calma aussitôt.

— Mais enfin, dites-moi donc c'qui se passe ! ! ! ?

— Mademoiselle Zelle, chuchota le gracieux personnage, vous n'avez jamais vu un enfant venir au monde ? Il est fragile, il vient de quitter un milieu douillet, mouillé d'un placenta doux et chaud et voilà qu'il se retrouve éclairé au néon, dans une pièce froide, tenu en l'air par des mains froides et gantées, on lui coupe sa corde à manger et on lui administre une fessée, lui qui n'a encore rien fait de mal. Alors, forcément, il pleure. Notre nouvel ami a tout simplement réagi comme un bébé naissant. C'est pourquoi nous lui avons administré un petit sédatif.

Recroquevillé, la bouche ouverte et la langue pendante, le clone était affaissé dans le fond du cylindre. Il avait l'air d'un cadavre désossé.

— Il va bien se réveiller un jour ?

— Assurément.

— Et vous croyez qu'il va tout bonnement cessé de crier et de pleurnicher comme ça ? Pour vous faire plaisir ?

— Oui, puisque nous allons maintenant procéder à l'étape ultime, obligatoire au complément de son être vivant.

— Quelle étape ?

Une porte, qu'on ne soupçonnait pas, s'ouvrit dans le mur derrière le cylindre. Deux gaillards, tout de blanc vêtus, en sortirent aux deux extrémités d'une civière. Le plancher absorba le cylindre et les hommes en blanc firent monter le clone à leur bord. Tout le monde se dirigea vers la sortie.

— Où allons-nous ?

— Nous retournons à l'ascenseur central, répondit l'élégant fantasme.

— Ah ! Je vais enfin pouvoir sortir d'ici !

— Au risque de vous décevoir et de briser quelques illusions qui subsisteraient toujours et encore dans votre charmante petite tête, je me vois dans l'obligation de vous avouer que nous retournons à l'ascenseur central non pas pour descendre, très chère, mais pour monter.

— Ah, j'en ai marre, moi ! Et pour aller où, cette fois ?

— Au dernier étage. À l'étage Inri, très précisément. L'étage Inri…

Un trône, un ordinateur, divers appareils et quelques chaises ; c'est tout ce qu'il y avait à l'étage Inri. On y habilla le clone des pieds à la tête. Souliers noirs, chaussettes noires, slip gris, pantalon noir, chandail à col roulé noir. Il était assis sur une chaise droite, immobilisé par des sangles. Un casque d'écoute recouvrait ses oreilles. Autour de sa tête, un bandeau retenait deux tiges terminées par deux minuscules miroirs concaves, fixés à un millimètre de ses pupilles. Ainsi, il ne pouvait s'évader du regard et devait rester dans sa tête.

Devant le trône du clone, une dizaine de chaises étaient alignées. Mademoiselle Zelle et le séduisant gentleman y prirent place. La carcasse défectueuse de Zirprus s'assit, comme toujours, derrière un écran d'ordinateur.

— Qu'est-ce que vous allez lui faire ? s'inquiéta mademoiselle Zelle.

— Nous allons maintenant le doter d'une dernière « chose », si je puis me permettre d'utiliser un substantif aussi naïf, d'une particularité essentielle à la vie.

— Quoi donc ?

Le joli minois ferma les yeux, se concentra et murmura :

— Nous allons lui donner... UNE ÂME !

Sur ces mots, un éclair traversa le plafond et vint heurter le crâne du clone. Le pauvre nouveau-né se tortilla sur sa chaise et hurla de plaisir. Il éjacula. L'éclair se retira. Le sosie de Specteur paraissait frais et dispos.

— Voilà, fit l'esthétiquement parfait, c'est fini. Nous lui avons presque tout donné.

— Presque ? s'étonna Zelle.

— Oui, presque.

— Comment ça ?

— Il y a une chose que nous avons gardée pour nous. Un détail.

— Quoi donc ?

L'homme idéal se leva et vint se placer à côté du clone. Il regarda Zelle dans les yeux et sourit.

— Sa volonté... Nous avons gardé sa volonté.

Zelle eut un frisson et une goutte d'urine mouilla son slip. La beauté fatale débarrassa le clone de tous les appareils qui l'encombraient, défit ses sangles et l'aida à se tenir debout. Tous deux marchèrent en direction de Zelle.

— Vous voyez ? Ce grand garçon est âgé d'à peine une heure et, déjà, il marche comme un homme.

La prostituée se leva et fit un pas en arrière.

— Mademoiselle Zelle, je vous présente monsieur Kri, Gézu Kri.

Le clone prit la main de Zelle et la souleva vers sa bouche comme pour lui faire un baisemain.

— Mes hommages, mademoiselle, dit-il, sur un ton de miel.

Elle se détendit, touchée par autant de courtoisie. Au moment où il allait poser les lèvres sur ses jointures, il ouvrit la bouche et lui sectionna l'index d'un solide coup de mâchoire.

— Aaaaaarrrggggggg !

Zelle n'avait jamais vu de films américains, aussi ne perdit-elle pas connaissance. Elle hurlait, Gézu bavait et la merveille humaine souriait.

— Mon doigt ! Mon doigt ! Putain de bordel de merde ! Mon doigt !

— C'est un mal nécessaire.

— Vous êtes fou ! Vous êtes cinglé ! Il faut vous faire enfermer ! Vous êtes un fou dangereux !

— Mais non, je ne suis pas fou. Vous me connaissez très mal.

— Mais qui êtes-vous, à la fin ? Qui êtes-vous donc, espèce de salaud ! ! ? se décida-t-elle enfin à lui demander[1].

— Je suis monsieur Dilleux Lepaire, président du C.M.T.G. Le Centre de mutation et de traitement génétique.

---

1. Il était temps, car je commençais sérieusement à manquer de synonymes pour décrire sa beauté.

VINGT-QUATRE

Dans la salle de conférences du commissariat, douze policiers étaient assis à la grande table et attendaient patiemment l'inspecteur Specteur. Un traiteur et ses employés entrèrent et garnirent la table de bonne bouffe et de bon vin. Il y avait de quoi nourrir l'armée friandaise au grand complet. Tout le monde zieutait ces alléchantes victuailles sans oser y mettre la dent. Spec fit son entrée.

— Il est midi ! lança-t-il gaiement. À la soupe, tout le monde !

Le festival de la gloutonnerie s'entama dans l'allégresse et Specteur prit place au centre de la table. Six flics à sa gauche, six à sa droite. Il déplaça le téléphone posé devant lui et glissa une assiette comble sous son nez.

— Mes amis, je...

Une sirène stridente lui coupa le sifflet. Il se leva et sortit de la pièce. Au bout de quelques secondes, la sirène se tut.

— Fausse alarme, dit-il en revenant. Le système est parti tout seul. Nous pouvons continuer.

On se massa les oreilles, puis les mâchoires se réactivèrent.

— Chers amis, disais-je donc, je vous conseille de bien manger, de faire le plein d'énergie ! Vous en aurez grandement besoin. La mission que vous devrez accomplir aujourd'hui, à mes côtés, est l'une des plus périlleuses qui vous aient été confiées jusqu'à ce jour.

Les grandes bouches, bien lubrifiées de salive, engloutissaient tout ce qu'elles pouvaient avec un minimum de mastication. Le vin se mélangeait aux pâtés, aux poissons, aux viandes, à l'eau et au pain.

— Prenez ! Mangez. Car ceci est mon quart de salaire annuel ! Mais ça ne fait rien !

Bref rire général et tout le monde replongea dans son assiette.

— Voici maintenant le plan d'attaque…

Tous les flics cessèrent de manger sur-le-champ et déposèrent leur couvert devant eux.

— Non, non ! Continuez à manger et soyez attentifs à ce que je dis.

Les fourchettes s'activèrent de nouveau.

— Nous attaquerons à…

Encore une fois, le système d'alarme interrompit la lancée de Specteur. Il leva la main, faisant signe à tous de rester assis, et sortit mettre fin à ce concerto criant pour lequel, d'ailleurs, personne n'avait payé.

— Bon ! fit-il en se rassoyant. Espérons que c'était la dernière fois ! Sinon, il faudra que quelqu'un ait l'alarme à l'œil !

Nouveau rire glottal truffé de sons bouffis. Specteur reprit :

— Nous attaquerons donc à dix-sept heures précises ! Mais nous le ferons en douce !

Toutes ses indications étaient claires et extraordinairement structurées. Par où entrer, où sortir, qui et quoi neutraliser, qui et quoi abattre. L'engouement se lisait sur les lèvres graisseuses des douze combattants. Pendant que Specteur précisait la façon de le distinguer de son sosie — il avait fait coudre une pièce rouge sur la jambe droite de son pantalon — l'alarme retentit de nouveau. Un des policiers se leva, tapa sur l'épaule de Specteur et lui cria à l'oreille :

— Je m'en occupe !

Il sortit de la salle. Quand le vacarme eut cessé, Specteur glissa le téléphone devant lui et ordonna le silence.

— Je vais maintenant vous démontrer l'importance de cette mission.

On ralentit le mâchouillage.

— Quelqu'un parmi vous peut me dire pourquoi il manque un policier à cette table ?

Les yeux regardaient le plafond, à la recherche d'une réponse. Un flic émit une hypothèse facile :

— Il est allé arrêter le système d'alarme ?

Specteur sourit.

— C'est ce qu'on serait porté à croire, en effet. Mais s'il n'était sorti que pour s'occuper du système d'alarme, il serait déjà revenu, non ?

« En effet… », semblaient exprimer tous les visages.

— Eh bien, voilà ce qui le retient…

Il appuya sur la touche « main libre » du téléphone et la voix de l'officier jaillit du haut-parleur.

— *Oui, c'est ça… Dix-sept heures précises ! Oui… Il a fait coudre une pièce rouge sur la jambe droite de son pantalon.*

Tout le monde se regarda, une bouchée coincée en travers de la gorge. Specteur quitta la pièce lentement, sans dire un mot. Les officiers, sciés, entendaient toujours le traître au téléphone.

— ...Oui... Bon, d'accord. Alors, voici comment ils vont procéder...

Dix coups de feu retentirent dans le haut-parleur et la ligne fut coupée. De retour dans la salle de conférences, Specteur arracha la pièce rouge de sur sa cuisse et la jeta par-dessus son épaule. Une pièce verte était cousue dessous. De son autre main, il exhiba la tête du mouchard qu'il berçait par la crinière. Il riait moins, le jeune salaud qui avait osé frapper l'inspecteur Specteur au moment de son arrestation.

— Nous attaquerons le Centre de mutation et de traitement génétique à quinze heures ! *Risum teneatis ?*

VINGT-CINQ

Ré était nu, crucifié au mur de l'étage Inri. Il venait à peine de reprendre connaissance. C'est qu'il en avait bavé. On l'avait forcé à enfoncer, lui-même, le premier clou. Kri tenait le scintillant petit bout de métal en place et Ré devait donner les coups de marteau. Étant droitier, on avait, bien entendu, exigé qu'il frappe de la gauche. Sa main malhabile avait plus souvent heurté les doigts que le clou.

Les pieds avaient été fixés à l'aide d'une cloueuse à air comprimé. Personne n'avait envie de s'épuiser à la tâche. Quand Ré avait demandé à boire, on lui avait bourré la gueule de cocaïne. Son palais, sa langue, sa gorge, ses gencives, ses joues : tout était gelé. Il aurait pu mastiquer une lame de rasoir sans problèmes.

Le pauvre curé était maintenant seul dans la pièce et accumulait les crampes musculaires. Ses bras, ses jambes, son dos et ses épaules brûlaient comme si on lui donnait un traitement d'acupuncture avec de fins couteaux de boucherie. La gravité étirait, petit à petit, ses tout nouveaux orifices et le forçait à demeurer immobile. Chaque mouvement déchirait une nouvelle veine, tirait sur un nouveau nerf, grattait un nouvel os. Il pleurait rouge et blanc.

— Spec... Spec... Pourquoi m'as-tu abandonné ? murmura-t-il difficilement, d'une bouche engourdie.

Comme si le ciel avait entendu son appel, un homme passa au travers du plafond et atterrit à ses pieds. C'était son bon ami, l'inspecteur Specteur. Cinq policiers suivirent.

— Décrochez-le de là et envoyez-le à l'hôpital ! ordonna Specteur à deux de ses hommes.

Un flic tenait un ordinateur en joue.

— Je le fais sauter, inspecteur ?

— Non ! Attendez ! Je veux conserver tous les appareils intacts jusqu'à la fin.

Pendant qu'on procédait délicatement à l'extraction des clous, le prêtre gémissait et poussait de petits cris semblables à ceux d'un chat qu'on épluche[1].

— Spec... Spec... chuchota-t-il difficilement.

Il semblait vouloir lui dire quelque chose d'important. Specteur monta sur une chaise et approcha son oreille de la bouche du curé.

— Je t'écoute, dit-il.

— Ils... arghh ! Ils... ils sont... au courant... de tous... de... tous tes faits et gestes... Ils... voient tout... ils...

— Ça va... T'inquiète pas, mon vieux ! Tu oublies que je suis le meilleur inspecteur de police au monde !

Sur ce, la porte s'ouvrit et quatre gardiens, vêtus de bleu et armés jusqu'aux gencives, s'apprêtèrent à avoir envie d'avoir l'intention de songer à penser faire feu sur Specteur et ses hommes. Mais un officier placé tout près de la porte leur offrit gratuitement une séance de body piercing.

---

1. N'allez surtout pas croire que je l'ai déjà expérimenté.

— Bien troué ! s'exclama Specteur.

Un hélicoptère fit descendre une civière par le toit de l'étage Inri. On y déposa Ré qui fut hissé à bord et transporté à l'hôpital Cœur du Grand Nain. Déjà, dans l'appareil, on pansait le gros de ses plaies. Le prêtre eut même droit à un kil de rouge.

— Le curé est en sécurité, inspecteur !

— Parfait ! Maintenant, allons rejoindre les autres qui sont entrés par les ailes Est et Ouest. Tirez sur tout ce qui donne signe de vie ! Mais attention ! Je veux les animaux et les infirmes vivants.

De l'étage Inri, ils descendirent au trente-troisième. Specteur, dont l'arme ne se déchargeait jamais, ouvrait la marche en tirant continuellement devant lui. Une balle sur cinq tuait quelqu'un ou quelque chose.

À l'extrémité de l'aile Est, les hommes de Specteur furent pris de panique. Devant eux, Dilleux Lepaire marchait lentement, les bras en croix. Il portait une longue tunique blanche. Un halo bleu l'entourait et couvrait toute la largeur du corridor. Derrière lui, une centaine de soldats épaulaient tranquillement leur fusil.

— Mes hommages, inspecteur Specteur ! dit Lepaire.

— Étouffe-toi dans ton vomi, sac à merde ! psalmodia Specteur.

Dilleux n'en fit rien.

— Vous avez beau être le meilleur inspecteur de police au monde, dit-il, vous êtes quand même tombé dans mon charmant petit guet-apens !

— Je vais t'enculer avec ta propre bite, salaud !

— Le building est rempli de gardes bleus, armés, comme ceux que vous voyez derrière moi. Vous n'avez aucune chance de vous en sortir.

— J't'emmerde ! tonitrua Specteur. Et comme disait John Wayne avant son premier infarctus : « L'un de nous deux est de trop dans cette ville, et ce n'est pas moi, tête de pus ! »

— Je ferai fi de ces propos fort déplacés. Je ne veux pas gaspiller ma salive. Vous n'avez pas le choix : vous vous rendez ou vous mourez.

— Moi, mourir ? Jamais de la vie ! De toute façon, vous savez très bien que vous ne pouvez pas m'éliminer. Mon patron est trop fort.

— Triste réalité, soupira Dilleux. Qu'est-ce que vous proposez, alors ?

— Ce que je propose ? Voici ce que je propose ! Feu ! ! !

Et le feu d'artifice commença. Les policiers avaient beau vider leurs armes sur Dilleux, son aura gobait tous les projectiles. Même les balles du .666 n'y faisaient rien. Les soldats bleus, protégés par cet écran de couleur, déchargèrent leurs armes sur les policiers. Les gilets pare-balles firent leur travail, mais les bras et les jambes de certains y goûtèrent.

Specteur bouillait de la calotte. Non, ce n'était pas vrai ! Ses hommes n'allaient pas finir criblés comme des moustiquaires à cause de ce putain de rideau couleur de Schtroumpf ! Il s'approcha considérablement de Dilleux, leva les bras et demanda un cessez-le-feu. Les armes se turent.

Deux des hommes de Specteur gémissaient de douleur. Dilleux se sentait atrocement paternel.

— Alors, dit-il, vous avez envie de discuter un peu ?

— Qu'est-ce que vous voulez, au juste ?

Dilleux se vautra dans son halo bleu et croisa les bras.

— C'est très simple, mon cher. Je veux que vous abandonniez le métier d'inspecteur de police.

— Il n'en est pas question !

— Vous avez tort ! Vous avez pourtant vu de quoi je suis capable...

Specteur releva un sourcil et un coin de lèvre.

— Dites-moi...

— Oui ? fit Lepaire, au-dessus de ses affaires.

— Comment se fait-il que mon travail d'inspecteur vous agace à ce point ?

Le grand bleu prit un air professoral et précisa :

— Ce n'est pas tant votre travail, monsieur Specteur, que votre méthode de travail qui me dérange.

— Ceux qui ne veulent pas goûter à mes méthodes n'ont qu'à se tenir peinards ! trancha Specteur, le front plissé.

— Vous ne comprenez visiblement pas ce que je veux dire...

— Arrêtez de vous exprimer en paraboles et je vais vous comprendre, bordel de merde !

— Ah, quel langage !... On se croirait dans un lycée !... Enfin... En termes plus clairs, monsieur Specteur, je n'aime pas que vous pratiquiez l'élimination systématique des criminels. C'est inacceptable ! Alors, ou vous les mettez en prison ou vous abandonnez votre travail.

L'inspecteur Specteur se frotta les mains. Il prenait goût au jeu.

— Tiens, tiens, tiens ! C'est intéressant ! En quoi un criminel emprisonné a-t-il plus de valeur à vos yeux ?

— Il y a à cela deux bonnes raisons, répondit Dilleux sans hésiter. Primo : le prisonnier qui purge sa peine a au moins une chance de se racheter et de redevenir bon.

— Ça me rappelle quelque chose...

— Secundo : le péché, ou le mal, si vous préférez, doit être éliminé, non par la tuerie, mais par l'enseignement. Le bien et le mal ont des projecteurs, des éclairages, des personnages, des rôles différents. Les deux adversaires n'ont pas le même poids. Ainsi, le mal doit être flagrant pour que le bien ne soit qu'apparent.

— Le mal doit être flagrant ? Ce n'est pas un devoir ! protesta Specteur. Il en est ainsi ! Le mal est non seulement plus flagrant que le bien, mais il lui est supérieur ! Il n'y a qu'une personne qu'on caresse pour cinq qu'on agresse.

— Malheureusement, je vous le concède...

— Et puisque le mal est plus présent, omniprésent ; que ses tentacules sont plus étendus, plus attrayants, plus efficaces ; puisque le mal menace toujours de submerger le bien, alors, aussi bien en finir une fois pour toutes, non ?

L'auréole de Dilleux fit deux tours.

— C'est là où vous faites grossièrement erreur, mon cher ennemi, répliqua-t-il. Sans bien, il n'y a aucun mal. Et sans mal, il y a le bien. Du bien et du mal, le seul qui puisse avoir intérêt à triompher est le bien, puisqu'il peut s'accomplir sans le mal, alors que le mal a besoin du bien pour exister.

— Oui, je sais que le mal doit faire mal au bien pour se sentir bien. Alors que le bien peut très bien se sentir bien sans aucun mal. Mais le bien a le mal de vivre. Alors, il vaut mieux que le mal triomphe pour que tout cela finisse bien.

Un frisson de frustration divine traversa l'échine de Dilleux.

— Mais si le mal est vainqueur, adieu l'amour ! Adieu l'enfant qu'on berce ! Adieu l'accablé qu'on soulage ! Adieu la vie !

— Et si le bien demeure, le mal reviendra. On aura encore la guerre ! la violence ! la pauvreté ! la haine ! la jalousie ! la tricherie ! les luttes de pouvoir ! l'argent ! la politique ! l'homme !...

Un gémissement ponctua la scène.

— Vous voyez, reprit Specteur, il y a beaucoup plus d'activités possibles avec le mal qu'avec le bien.

— Oui, mais si le bien l'emporte...

— Le bien ne pourra jamais l'emporter ! trancha Specteur.

— Et pourquoi donc ?

— Parce que le mal utilise toutes les armes existantes, sans égard à quelque morale que ce soit. Et aussi longtemps que le fondement du bien, tel qu'il est véhiculé par votre secte, reposera sur le pardon, l'amour du prochain et la présentation de la joue gauche, il n'a aucune chance de triompher du mal.

— C'est ce que vous croyez, rouspéta Dilleux, sans conviction. Mes indices et différentes statégies vous ont quand même forcé à venir jusqu'ici.

Une mouche crépita dans le halo.

— Justement, une chose m'intrigue, reprit Specteur. Pourquoi avoir fait vieillir le môme sur l'affiche ?

— Ah ! C'était ma façon à moi d'illustrer la croissance de votre clone.

— Ha ! Ha ! Ha ! Comme c'est inventif, cria Specteur en riant de mauvais cœur.

Dilleux fut flatté. Spec en profita pour mieux connaître le personnage.

— Que représentez-vous au juste ? demanda-t-il. Où vous situez-vous dans la hiérarchie de votre cirque ?

— Qu'est-ce que vous voulez dire ?

— Êtes-vous l'équivalent d'un prêtre ? d'un évêque ? d'un pape ?

Le visage de D'''ux s'adoucit.

— Je suis… l'Être Suprême.

Specteur eut un fou rire. La réponse lui donna quand même une idée. Il savait, grâce à Ré, comment réagissaient les prêtres à son contact. Jamais, cependant, n'avait-il touché un évêque, un pape, et encore moins un « Être Suprême ». Quelle allait être la réaction ? Allait-il y laisser sa peau ? Specteur était prêt à prendre le risque.

Dilleux leva les yeux au ciel.

— Nous ne nous entendrons jamais, inspecteur Specteur.

— Pourquoi ?

— Vous êtes prêt à ce que le mal triomphe pour que tout finisse, et je suis prêt à ce que le bien triomphe pour que tout subsiste.

— Vous avez parfaitement raison. Ce à quoi je répondrai : *Video meliora proboque, deteriora sequor.* FEU ! ! !

Les hommes de Specteur reprirent immédiatement le service. Ils se savaient inférieurs et vulnérables, mais démontraient un acharnement indéfectible au combat.

Étant tout près de Dilleux, Specteur se trouvait à l'abri. Les balles sifflaient de chaque côté de lui. Il dévisageait son adversaire. Sans réfléchir, il ouvrit les bras et fit une accolade monumentale au lumineux personnage. Dilleux se mit à hurler comme un moine sur le bûcher d'un Iroquois. Son aura tourna au rouge vif et sa circonférence incandescente commença à découper doucement, à la manière d'un laser, les murs, plafond et plancher du corridor. L'énergie qui émanait des deux hommes provoquait de telles secousses qu'on aurait dit qu'ils étaient devenus l'épicentre d'un tremblement de terre. Specteur tenait bon. Ses cheveux, ses cils et ses sourcils se calcinaient lentement.

Ce spectacle grandiose faisait tomber les mâchoires. Les coups de feu avaient cessé, de part et d'autre. On attendait, yeux écarquillés, l'issue de la rencontre entre ces deux pôles énergétiques. Du côté des soldats bleus, la sueur prenait couleur d'angoisse. La lumière déchirante avait entaillé plus de la moitié des cloisons. Si l'inspecteur Specteur arrivait à tenir encore quelques secondes, le corridor se détacherait du complexe et chuterait du haut de ses trente-trois étages.

Certains soldats audacieux, qui préféraient l'ascenseur à la chute libre, tentèrent une percée à travers l'écran lumineux et se consumèrent aussitôt.

Ce qui devait finalement arriver arriva. Le poids des soldats aidant, le bout de l'aile Est craqua sèchement et ploya en un concert de claquements et crépitements sourds, mêlé d'une bacchanale de clameurs apocalyptiques. Au moment où tout céda, un silence venteux emporta la première loge vers le parterre.

Au sol, un touriste, à l'affût d'images sensationnelles, s'écria :

— Souriez ! Le petit oiseau va mourir !

Clic ! fit le jetable.

VINGT-SIX

Gézu Kri entendit un immense boum ! mais ne se retourna point. Il se foutait bien de ce morceau d'édifice qui venait de tomber du ciel. Les ordres qu'il recevait étaient incontournables. Le dispositif à ondes courtes, qui transmettait sa volonté, envoyait toujours le même message :

Tu dois tuer le plus d'enfants possible, au grand jour, sans te faire prendre. Tu dois tuer le plus d'enfants possible, au grand jour, sans te faire prendre. Tu dois tuer le plus d'enfants possible, au grand jour sans te faire prendre.

Ce joyeux leitmotiv tournait sans cesse dans sa tête de nœud comme une ritournelle publicitaire. Dilleux avait mis toutes les chances de son côté. Le but de cet exercice de tir était de provoquer un scandale tel que, même si Dilleux échouait, Specteur irait tout de même en taule ou se ferait lyncher par la plèbe.

Le sosie était prêt. Ne manquaient que les cibles.

Un gosse traversa la rue en gambadant sur une patte et sur l'autre dans sa direction. Gézu dégaina et appuya sur la gâchette. Rien. Son pétard s'était enrayé. Il arma de nouveau. L'enfant sautillait toujours gaiement sur ses petites jambes pleines de fourmis. « Clic ! » et « Checlic ! », faisait le pistolet de Gézu. Que des bruits de jouets. Le chargeur était pourtant bien rempli et aucune balle ne semblait coincée.

Le môme était tout près. Gézu se détendit et appuya une fois de plus sur la détente. Le canon lui explosa au visage et le défigura complètement. Il ne cria pas, puisque telle n'était pas sa volonté, mais tomba, malgré tout, par terre, sans connaissance. Le bambin fut à peine égratigné mais pleura tout de même un bon coup, histoire de faire mentir la rumeur qui veut qu'un garçon, ça ne pleure pas.

Quand l'ambulance arriva, Gézu avait déjà perdu beaucoup de sang, mais on ne craignait pas pour sa vie. On le transporta à l'hôpital Cœur du Grand Nain où il reçut les soins appropriés. La chambre qui l'accueillit était calme, paisible, et son voisin de lit ne faisait pas le moindre bruit. Avec raison : les calmants avaient fait leur effet et le pauvre Ré dormait depuis déjà deux bonnes heures.

VINGT-SEPT

En haut, les flics blessés se tortillaient dans leur sang. Specteur et Dilleux étaient toujours enlacés.

— Tu crois que la perte de ces quelques humains m'indispose vraiment ? déclama Dilleux sur un ton de faux tragédien.

Specteur se dégagea et lui fit un immense sourire qui crevassa son visage.

— M'en fous ! s'écria-t-il.

Et il le poussa dans le vide.

— *Vade retro* Dilleux Lepaire ! ! ! !

On le sait, une chute de deux cents mètres n'a jamais fait de bien à personne. Mais Dilleux Lepaire étant ce qu'il est, il se changea en colombe trente mètres avant de toucher le sol. Specteur n'en sut rien, car il courait déjà en direction de l'aile Ouest, suivi des trois seuls policiers demeurés indemnes.

Ils aperçurent deux groupes de soldats qui s'entre-tuaient. Des bleus et des verts. Spec se rendit compte que quelque chose clochait dans cette histoire. Il n'avait jamais engagé ces policiers verts ! D'où sortaient-ils ? Mandant avait-il eu la brillante initiative de prévoir ce soutien en cas de force majeure ? Non, c'était peu plausible. Ce gros réservoir de lipides n'avait pas les capacités intellectuelles nécessaires pour formuler un raisonnement aussi simple.

Specteur observait la bataille, sourire aux lèvres et bras croisés, quand une main se posa sur son épaule. Il se retourna. C'était le général Néral.

— Le spectacle vous plaît ? demanda-t-il gaiement.

— Ah, c'est donc vous qui avez décidé de me faciliter la tâche ! lança Spec. Je n'en demandais pas tant ! J'aurais très bien pu m'en sortir tout seul, vous savez.

— Oui, mais entre frères, on peut s'entraider.

— Bien sûr.

— Cigare ?

— Volontiers !

Pof ! Pof ! La douce fumée coula sur leur visage et emplit les rides de Specteur.

— À vrai dire, poursuivit le général, c'est le grand patron qui m'a demandé de vous prêter main-forte. Il craignait que votre adversaire ne soit déloyal. Vous savez comment ce divin truand se comporte avec les humains !

— Plutôt, oui. Il les aime en pièces détachées.

— Et après tout, chacun son métier, non ? Vous êtes le meilleur inspecteur au monde, et moi, le meilleur combattant !

— Rien de plus vrai ! conclut Specteur.

Les bleus tombaient comme des promesses électorales.

— Oh, à propos, fit Specteur, vous allez ramasser toute cette vermine après l'extermination ?

— Naturellement ! Le camion incinérateur attend en bas.

Une fois le massacre terminé, Specteur remercia chaleureusement le général Néral et jura de partager une bouteille de Maiissìhkh avec lui, un de ces quatre, à la Taverne Occulte.

Les soldats de l'armée friandaise venaient d'évacuer les derniers cadavres quand les cris d'un chimpanzé jaillirent de derrière la seule porte de l'aile Ouest. L'inspecteur Specteur et ses hommes n'avaient pas encore terminé leur boulot. Il leur fallait retrouver le clone et l'infirme. Le singe les y conduirait.

L'un des flics s'apprêta à enfoncer la porte d'un coup d'épaule entraînée, mais Specteur le retint.

— Ménage tes forces, dit-il, avant de faire sauter la poignée d'une douzaine de projectiles.

Au fond de la pièce, le spectacle était lamentable. Toto, coincé dans sa nana artificielle, était hystérique. Il hurlait en tentant de se défaire de cette honteuse position. Specteur s'approcha du bipède avec la ferme intention de ne pas le caresser. Le chimpanzé se tourna vers lui et happa l'air de ses longs crocs croches, claquant comme des boules de billard qui s'entrechoquent. Il frappait et poussait de toutes ses forces sur le postérieur plastifié. Une rigole de sang coula entre ses cuisses poilues. Cela ne l'empêcha pas de continuer à se débattre comme si on était en train de lui faire bouillir les couilles.

Une droite bien sonnée dans la gueule, suivie d'un coup de crosse sur la nuque, et le macaque dormit du sommeil du juste bon pour lui. On le ligota solidement, après quoi on tenta de le retirer de son ramasse-sperme, mais en vain. Spec dut donc se résigner à ouvrir le feu sur le réceptacle de plastique, duquel il détacha le postérieur à coup de revolver. Le gluant liquide, aux nuances de gris et de pêche, s'écoula mollement par terre, dans un flic flac flasque, en grosses gouttes grasses, larges, épatées et sirupeuses.

Après ce travail soigné, un anneau de plastique, grossièrement découpé, pendouillait entre les jambes du singe.

Deux flics le soulevèrent et le transportèrent vers la sortie. Alors que tout semblait au beau fixe, l'un deux sentit son oreille droite arrachée par un projectile venu de nulle part. Il laissa tomber le chimpanzé et porta la main à sa tête. Tout le monde se planqua, sauf le mutilé qui geignait en implorant ses collègues du regard. On lui faisait de grands signes pour qu'il se couche par terre, mais le pauvre ne voyait que la peur. Une deuxième balle le coucha enfin.

Specteur savait qui se cachait derrière ces coups de feu d'amateur. Il se releva d'un bond et fit feu en marchant dans la direction d'où provenait la balle fatale. Du fond de son fauteuil, Zirprus le vit s'approcher. La peur le faisait chialer comme un bébé, mais il arriva quand même à pointer son revolver quelque part, presque en direction de Specteur. Il avait tellement d'eau dans les yeux qu'un harpon eût été plus approprié. Loin de faire mouche, la plupart de ses projectiles moururent dans le plafond. Spec fut bon joueur et, pour faire cesser le plaisir, ne lui tira qu'une demi-douzaine de plombs dans les jambes et les pneus. Bien qu'il ne sentît pas la douleur, Zirprus fut tout de même sensible aux arguments dont Specteur venait d'user pour le convaincre de jeter son arme. Avant même qu'il ne se rende, une balle fit voler son revolver. Les sanglots de l'infirme se firent plus violents encore et sa bouche prit la forme d'un prépuce au repos.

— Ne me tuez paaaaaaaaaaas ! Je vous en priiiiiiiiie ! Ne me tuez paaaaaaaas !

— La ferme ! Sale fœtus en construction ! hurla Specteur en lui collant son .666 dans le front.

Zirprus couinait et reniflait, agité par d'atroces soubresauts.

— Qu'est-ce que vous me voulez ? glapit-il entre deux hoquets.

— Tu vas me dire où t'as caché les restes de mademoiselle Zelle !

— Je sais pas... J'ignore de quoi vous parlez...

— Parfait !

Spec fit craquer ses phalanges.

— Les mecs ! butez-moi ce putain de macaque !

Un flic arma son pistolet. Le déclic du chien activa les cordes vocales de l'infirme.

— Non ! Non ! Arrêtez ! Je vous dirai tout ! tout ! tout !

— Arrêtez ! ordonna l'inspecteur Specteur.

Il rangea son flingue et prit Zirprus par les épaules.

— Malgré ton physique ingrat, je dois dire que tu me plais un peu plus quand tu collabores. Maintenant, conduis-nous à ce qui reste de la fille !

Il se tourna vers ses hommes.

— Vous autres, emmenez le singe ! Je crois qu'il peut nous être utile.

Zirprus les mena au frigo. Contrairement à ce que croyait Specteur, mademoiselle Zelle avait été tuée dès après la première amputation. L'épisode de l'index était la seule souffrance qu'elle avait dû subir. Dilleux avait été bon. On l'avait vite découpée en morceaux et mise au froid. Chacun de ses membres était enrobé d'un plastique transparent. Sa tête offrait la pire image. Sans nez, elle avait l'air d'une truie anorexique.

— À la vue de ce spectacle dégradant, monsieur Zirprus, je tiens à vous signaler que j'ai quelques demandes à vous formuler. Et comme je déteste répéter, me faire dire « non » ou encore « je ne sais pas », je vous préviens que je logerai une balle dans la cuirasse de votre gorille au bois dormant, chaque fois que vous m'y pousserez. Est-ce clair ?

— Oui, oui !

— Alors, commençons tout de suite... Comment avez-vous fait pour créer un double parfait de ma prestigieuse personne ?

L'infirme hésita.

— Je... je... je ne sais...

Specteur braqua son .666 sur une jambe du singe.

— Je ne sais si vous connaissez... enchaîna Zirprus à la vitesse de l'éclair, le... le clonage ?

— Oui, j'en ai entendu parler. *Omne vivum ex ovo.*

— Et bien, grâce à un échantillon de votre ADN, nous vous avons reproduit.

— Quel échantillon ?

En quelques minutes, Specteur sut tout ce qu'il devait savoir. La pipe, la vente de son sperme et la création finale. Zirprus le complimenta même sur la qualité de ses spermatozoïdes. « D'une vigueur époustouflante », avait-il dit. Il se garda bien, cependant, de mentionner le dispositif émetteur de volonté.

— Eh bien, voilà qui répond à plusieurs de mes questions ! lança Specteur, presque satisfait.

Il dégaina et troua une jambe du chimpanzé qui se réveilla en hurlant. Un nouveau coup de crosse le fit taire.

— Aaaaaaaaahhhh ! cria Zirprus. Mais, qu'est-ce que vous faites ? J'ai répondu à vos questions, non ! ! ! ?

— C'est au cas où vous auriez envie de répondre « non » à la prochaine.

Si un doute avait subsisté dans l'esprit de Zirprus, il n'avait plus sa raison d'être.

— Alors, poursuivit l'inspecteur Specteur, dites-moi donc, précisément, où se cache mon sosie.

Zirprus déglutit et répondit calmement.

— Quelque part dans le centre-ville.

— Quelque part ?

— Oui. Il n'est malheureusement pas fixe. Et à l'heure qu'il est, il a sûrement déjà abattu une centaine d'enfants.

— Des enfants ! ! ! ?

L'infirme lui expliqua le scandale imaginé par Dilleux Lepaire. Lui, naturellement, était totalement en désaccord avec cette horrible idée. Mais il n'y pouvait rien, c'était Dilleux le patron ; lui n'était qu'un simple scientifique employé par le C.M.T.G.

Spec sortit immédiatement son portable et téléphona au commissariat. Il ordonna qu'on tire à vue sur son sosie. Le tueur d'enfants était armé et dangereux. Il ne fallait prendre aucun risque. Tous les coups étaient permis. Malheureusement, son appel ne fut pas pris au sérieux.

— Vous croyez vraiment que je vais avaler ça ? lui répondit la répartitrice.

— Mais puisque je vous dis que c'est moi ! L'inspecteur Specteur ! J'ai été cloné et mon clone est présentement en train d'assassiner des enfants ! ! !

— C'est ça ! Et mon clone à moi est en train de te raccrocher au nez, connard !

Elle raccrocha. Specteur se tourna vers ses hommes.

— Partez à la recherche de mon clone et poivrez-moi ce salaud !

— On peut vous laisser seul ? demanda l'un d'entre eux.

— Sans problèmes ! J'ai encore quelques petits trucs à régler. Et puis, je suis en excellente compagnie.

Les policiers quittèrent les lieux en vitesse et Specteur se retrouva seul avec l'infirme.

— Bon, assez rigolé ! Vous allez maintenant prendre un bout de cette pauvre fille et m'en cloner une entière et toute neuve…

— Mais… Mais c'est impossible ! protesta Zirprus.

— Pourquoi ça ?

— Je ne peux le faire sans la présence de Dilleux Lepaire !

— Ah bon ? Et en quoi ce charognard nous est-il donc indispensable ?

— Eh bien, si Dilleux n'est pas présent au moment de sa création, la pauvre mademoiselle Zelle n'aura pas... elle n'aura pas...

— Elle n'aura pas quoi ! ! ! ?

— Elle n'aura pas d'âme... Lui seul a le pouvoir de donner une âme...

— *Prolem sine matre creatam.*

— Hein ? fit Zirprus.

Specteur hocha la tête en souriant.

— Z'en faites pas, mon vieux ! Je lui en refilerai une de mon cru...

VINGT-HUIT

Ré se réveilla, la bouche sèche comme la hanche d'une vieille fille. En regardant tout autour de lui, à la recherche de quelque chose à boire, il remarqua son petit compagnon de chambre. Le pauvre homme avait l'air d'une momie. À part ses yeux et sa bouche, tout son visage était recouvert de bandages. Le prêtre se demanda ce qui avait pu lui arriver. Il toussota pour signaler sa présence. La momie tourna la tête vers lui.

— Bonjour ! fit Ré, loin de se douter qu'il parlait au clone de son meilleur ami.

Gézu se contenta d'un petit coup de menton.

— Mon pauvre ami ! Mais qu'est-ce qui vous est rentré dedans ?

L'autre ouvrit péniblement la bouche et articula :

— Je ne me souviens pas.

« Amnésique en plus ! Oh la la ! » pensa le curé.

— Vous voyez bien, au moins ?

— Oui, je vois bien…

Ré l'examinait, la bouche en accent circonflexe, avec une moue de voyeur qui assiste à une opération à cœur ouvert. Toute sa compassion passait par son faciès.

— C'est pas trop douloureux ?

Deux coups de paupières déchirées annoncèrent la réponse :

— Un peu...

Il n'en fallait pas plus pour que Ré s'improvise « Représentant des droits des malades de l'hôpital Cœur du Grand Nain ».

— Mais il faut vous plaindre ! Demander des calmants !

Le clone fixait les lèvres du prêtre en balançant la tête de temps à autre. Il avait le regard d'un chien bête à qui on tente d'expliquer le théorème de Pythagore. Il tourna la tête. Une infirmière venait d'entrer dans la chambre en poussant un chariot bourré de pilules. Elle le laissa près de la porte et s'avança à la tête du lit de Gézu. Une fiche y était suspendue. Elle la consulta et retourna à son chariot.

— Psst ! Psst ! souffla Ré à l'endroit du souffrant.

Gézu se retourna, armé d'un point d'interrogation dans le peu de visage qu'on lui devinait.

— Allez !

Aller où ? Il ne semblait pas savoir. Du bout de la langue, il replaça un fil de chair qui tombait de sa lèvre supérieure.

— Allez ! insista le prêtre. Plains-toi ! Demande-lui des calmants !

Les ordres furent immédiatement exécutés.

— Garde..., dit Gézu.

L'infirmière se pencha sur lui.

— Oui ?

— Je formule une plainte, déclara-t-il posément. Je veux des calmants.

— Ah non ! coupa sèchement l'infirmière. Les

indications du médecin sont formelles ! Vous n'avez droit qu'à ce qui est inscrit sur votre fiche et à rien d'autre ! Et figurez-vous que les calmants n'y figurent pas du tout !

Elle retourna à son chariot. Ré était outré par l'attitude de cette soi-disant professionnelle de la santé. On ne pouvait ignorer ainsi les souffrances d'un homme ! Il interpella de nouveau Gézu en chuchotant.

— Hep ! Insiste ! Crie au scandale !

Le clone rappela aussitôt l'infirmière.

— Garde...

— Quoi encore ! ! ? s'exclama la frustrée.

— J'insiste, dit calmement Gézu.

Puis, de toutes ses forces, il hurla :

— AU SCANDAAAAAAALE ! ! ! ! ! !

Ré et l'infirmière se regardèrent.

— Vous êtes malade, ma parole ! s'exclama-t-elle. Faut vous faire soigner !

Elle poussa vivement son chariot à l'extérieur de la chambre et disparut en criant :

— Quel taré ! Non, mais quel taré ! ! !

Le silence prit la place de l'infirmière.

— T'es dingue ou quoi ? ricana Ré. Pourquoi t'as fait ça ?

La face de tissu le dévisagea avec étonnement.

— J'ai fait ce que vous m'avez dit de faire, répliqua-t-il tout bonnement.

— Non, mais... Oh ! Tu fais tout ce qu'on te dit de faire à la lettre ou quoi ?

Gézu réfléchit quelques secondes et répondit :

— Bien... maintenant, oui.

Le prêtre fut pris d'un fou rire. L'humour absurde de ce blessé était vraiment hilarant.

— Ah ! ce que c'est marrant ! lança-t-il. T'es vraiment trop !

Puis, décidé à lui démontrer qu'il avait bien compris et apprécié son humour, il poursuivit :

— Puisque c'est comme ça, lève-toi, fous-toi à poil et balance la télé par la fenêtre !

Gézu se leva, de peine et de misère, et commença à se déshabiller. Ré s'esclaffa.

— Ha ! Ha ! Ha ! Ha ! T'es con ! Ha ! Ha ! Ce que t'es con !

Une fois nu, il s'empara de la télé et s'avança vers la fenêtre. Le rire de Ré s'éteignit rapidement pour se transformer en un bégaiement névrotique.

— Que... qu'est-ce... que... qu'est-ce tu... qu'est-ce tu fous ? Tu... tu... tu vas pas... ? tu...

Stoïque, Gézu flanqua la télé par la fenêtre. Une sirène d'alarme se mit à hurler.

— T'es cinglé ! Complètement cinglé ! Retourne vite te coucher ! Vite !

Gézu obéit sagement.

— Tu dis pas un mot ! Tu ne bouges pas et tu ne regardes personne ! Si on te demande ce qui s'est passé, tu dis qu'un toxicomane en manque est entré dans notre chambre, qu'il cherchait de la drogue et que, frustré de n'avoir rien trouvé, il a jeté la télé par la fenêtre.

Quatre gardes armés firent irruption dans la chambre des deux joueurs de tour. L'un d'eux composa un code sur un clavier à l'entrée et l'alarme se tut.

— Qu'est-ce qui s'est passé ? interrogea-t-il hors d'haleine.

Soumis, Gézu déclara :

— Un toxicomane en manque est entré dans notre chambre. Il cherchait de la drogue. Frustré de n'avoir rien trouvé, il a jeté la télé par la fenêtre.

Ré le considéra avec admiration, stupéfait par ce phénomène exceptionnel. Une étincelle de profiteur illumina ses prunelles. « Je crois que je viens de me trouver une bonne à tout faire exemplaire », pensa-t-il en se frottant les trous de main.

VINGT-NEUF

Mademoiselle Zelle était debout, nue comme la lune. Un mignon toupet et un sourire vicieux mettaient ses petits yeux entre parenthèses. Specteur s'approcha d'elle et lui tendit des vêtements. Elle les enfila lascivement et prit la main que Spec lui tendait. Ils se dirigèrent lentement vers la porte, enjambèrent les cadavres de Zirprus et de Toto, puis ouvrirent. Avant de sortir, Specteur fit feu sur tous les appareils qu'il y avait dans la place. Sans le savoir, il atteignit, dès la première balle, le dispositif émetteur de volonté. Désormais, celle de Gézu était à la merci de tout un chacun.

Dehors, le soleil brillait comme un bachelier fraîchement diplômé. L'inspecteur Specteur et mademoiselle Zelle dansèrent sur le pavé brûlant jusqu'à la Renault 5. En gentilhomme, Spec ouvrit d'abord la portière, côté passager, et fit monter la toute nouvelle merveille de la science. Avant d'ouvrir de son côté, il leva le nez et huma le doux parfum de la victoire. Du haut d'un fil électrique, une colombe immaculée en profita pour lui chier en plein milieu du visage.

TRENTE

Grâce aux costumes en amiante qu'ils s'étaient fait faire sur mesure, Ré et Specteur purent enfin s'étreindre et se taper virilement dans le dos sans risquer de se brûler au centième degré. Ré ne pouvait, cependant, taper à sa guise. Mains et pieds bandés, le prêtre se remettait tranquillement de ses blessures. La douleur était encore insupportable par moments, mais il avait trouvé le moyen de s'en évader en prenant un peu de poudre d'escampette. Il marchait le moins possible et ne se servait de ses mains que pour boire et aller aux toilettes.

Bien calés dans les fauteuils du presbytère, les deux amis terminaient une bonne pipée de haschich quand Ré demanda, d'un air coquin :

— T'as faim ? Je peux t'offrir quelque chose à bouffer ?

— Oui ! répondit Spec. J'ai même très faim ! Mais dans l'état où tu es, on serait pas mieux d'aller au resto ?

— Qu'est-ce que tu racontes ?

Il souleva une petite clochette et la secoua légèrement du bout des doigts.

— C'est quoi, ça ? T'as une bonne maintenant ?

— En quelque sorte, oui.

Sur ces mots, Gézu Kri fit son apparition, vêtu comme une soubrette.

— Vous m'avez appelé, maître ?

On lui avait enlevé ses bandages. Son visage était déformé, boursouflé et sinueux comme un ballon de foot crevé. Les éclats de métal avaient laissé sur sa peau des rainures creuses et des cratères comme autant de bouches croches et de nombrils. Un véritable petit cri de Munch humain.

— Maître ? rigola Specteur. Qui c'est, celui-là ?

— C'est ma nouvelle bonne !

— Ha ! Ha ! Sa nouvelle bonne ! Elle est bien bonne !

— Oui, elle est bien bonne et serviable, renchérit le prêtre, en se tournant vers Gézu.

Le défiguré attendait les ordres.

— Cours à la cuisine nous préparer un sandwich ! Oh ! Et rapporte quelque chose à boire !

— Bien, maître.

Specteur se croyait au théâtre tellement la situation était burlesque. Ré, qui sentait que son ami avait besoin d'explications, lui fit part de l'épisode de la chambre d'hôpital.

— C'est à ce moment que j'ai décidé d'en faire mon domestique. Comme il n'avait pas de nom, j'ai fait croire au personnel que c'était un membre de ma famille.

Gézu revint avec un plateau garni de sandwichs et de boissons fraîches.

— Voilà, maître.

— Merci, tu peux disposer.

Il s'inclina et retourna à la cuisine. Specteur le

regarda s'éloigner en mordant dans le pain chaud.

— Et il n'a pas de nom ? demanda-t-il entre deux coups de mâchoire.

— Maintenant, si ! Je lui en ai donné un.

— Et comment tu l'as baptisé ?

— Je l'ai appelé Adèle.

Spec cracha sa bouchée et éclata d'un rire plein de bouffe.

— Une seule chose m'agace un peu, poursuivit le prêtre. Je trouve que sa voix ressemble à la tienne. Tu ne trouves pas ?

TRENTE ET UN

Le commandant Mandant était beau comme un cœur de pomme. Il était plus reposé, certes, mais on a beau mettre un habit neuf à une pustule mobile, elle n'en devient pas plus séduisante. Écrasé dans son fauteuil, il contemplait le décor de son bureau comme s'il y était pour la première fois. Il se sentait d'attaque. Un nouvel homme pataugeait dans son ventre. L'interphone lui fit dresser l'oreille.

— *Commandant Mandant ?*

— Ouiiiii ?

— *L'inspecteur Specteur est arrivé.*

— Bien ! Faites-le entrer ! ordonna-t-il.

— *Entendu.*

Specteur fit son apparition, fier et droit comme un majeur, et posa ses fesses sur une chaise qui faisait face au béluga nouveau. Les deux hommes s'observèrent en silence pendant plus d'une minute. Mandant brisa la glace.

— Specteur, je suis fier de vous ! Vraiment très fier de vous !

— Oh, je n'ai fait que mon travail, commandant, répliqua Spec qui se demanda pourquoi Mandant le vouvoyait soudainement.

— Allons, ne soyez pas modeste !

Specteur se tut. Il avait soif. Le parfum de Mandant, mêlé à sa transpiration de ruminant, ne l'encourageait pas non plus à entretenir une discussion qui, somme toute, ne serait qu'une projection concentrée de postillons purulents. Mais contrairement à ses attentes, le gros chef était calme, posé, doux comme un troupeau d'agneaux.

— Non seulement vous avez mené cette enquête de main de maître, mais en plus, vous m'avez fait découvrir le vrai Mandant qui dormait au fond de moi.

« Ah non ! Pas ça ! songea Spec. Ce gros abruti a sombré dans la psychanalyse. »

Mandant continua sa confession.

— Vous avez détruit cette image de gueulard autoritaire que je m'étais forgée. Vous avez fait rejaillir ma sensibilité. Mon vrai moi a refait surface.

Les tempes de Specteur battaient d'intolérance. Mandant s'arrêta, bouche grande ouverte, comme s'il avait bloqué la porte au cas où une nouvelle phrase aurait voulu sortir. Specteur savoura cet instant d'accalmie. Il était sérieusement emmerdé par ce crescendo d'adulation grotesque. Mais il lui fallait rester calme. Ce n'était qu'un dégoûtant petit moment à passer. Il rassembla ce qui lui restait de patience en se disant que, de toute façon, le gros avait pratiquement tout déballé et qu'il allait bientôt pouvoir en prendre congé. Malheureusement, le pauvre Specteur se trompait un peu beaucoup.

Comme s'il sentait que l'inspecteur allait bientôt lui fausser compagnie, le commandant Mandant se planta devant lui. « Pourvu que cette grosse blatte flasque ne m'enlace pas de ses pattes moites ! » pensa Specteur.

Mandant n'en fit rien. Il regarda l'inspecteur Specteur dans les yeux et déclara :

— Mes félicitations. Espérons seulement que votre prochaine enquête se déroulera aussi bien.

Puis, il haussa les épaules, sourit et mit une petite main joufflue devant sa bouche.

— Hi ! Hi ! Hi ! fit-il, l'air gamin.

Specteur recula, décontenancé. Le rire de Mandant avait une forte odeur de divagation. Obélix regardait maintenant dans le vide et, la bouche en cul de dinde, il tapait des mains devant ses lèvres, ce qui donna de forts jolis « pef », « pof », « pouf ». Spec sortit du bureau en vitesse. Le gros gosse ne s'en formalisa pas.

Dehors, l'inspecteur Specteur se gratta la tête du bout de son .666. Devrait-il retourner à l'intérieur ? Pourquoi laisser souffrir cette pauvre bête ?

Une voiture de patrouille s'avança et un flic en descendit. Il ouvrit la portière arrière et sortit un gros bidule ovale recouvert d'un drap blanc. Specteur l'interpella :

— Hep ! Qu'est-ce que vous cachez là ? C'est pourtant pas mon anniversaire !

— Malheureusement, c'est pas pour vous, inspecteur, répondit le flic en rigolant. C'est une commande de Mandant.

— Dans l'état où il est, vous auriez mieux fait de lui apporter un hochet.

— Pourquoi ? Qu'est-ce qu'il a ?

— Ah, rien, rien, marmonna Specteur en s'approchant du truc suspect.

— Ça vous intrigue, hein, inspecteur ?

— Plutôt, oui. Je me demande ce qui peut bien brancher Mandant ces jours-ci.

— Voyez vous-même, dit le policier en lui tendant le mystérieux objet.

L'inspecteur Specteur souleva minutieusement le drap blanc. Il aperçut de minces barreaux. C'était une cage à oiseaux. Curieux, il souleva le drap un peu plus et une douce colombe lui pinça un doigt.

— Aïe !!! Saloperie de bestiole ! hurla Spec en dégainant son .666. Je vais te buter, salope ! Je vais te...

— Non ! Arrêtez, inspecteur ! cria le flic en panique. Mandant va me tuer si je ne lui apporte pas sa colombe saine et sauve !

Specteur se ressaisit.

— Bon, d'accord ! Mais sachez que dès demain, je commence à m'entraîner au tir au pigeon d'argile !

Il rengaina et monta dans sa bagnole. Une nuit à la Taverne Occulte lui ferait le plus grand bien. En route, il songea : « Je me demande combien de temps le commandant Mandant et son moineau pourraient tenir dans une partie de *Longue Vie*... »

— *Quid latine dictum sit, altum viditur*[1]...

---

1. Tout ce qui est dit en latin semble important...